퀀 텀 리 프

내 아이를 성장시키는 엄마표 교육법

작은 일도 무시하지 않고 최선을 다해야 한다.
작은 일에도 최선을 다하면 정성스럽게 된다.
정성스럽게 되면 겉에 배어 나오고
겉에 배어 나오면 겉으로 드러난다.
겉으로 드러나면 이내 밝아지고
밝아지면 남을 감동시키고
남을 감동시키면 이내 변하게 되고
변하면 생육 된다.
그러니 오직 세상에서 지극히 정성을 다하는 사람만이
나와 세상을 변하게 할 수 있는 것이다.

중용 23장

퀀텀리프

초판 1쇄　발행 2015년 4월 11일 / 초판 2쇄 발행 2016년 7월 15일
지은이　　윤현주
발행인　　유준원
고문　　　강원국
편집　　　박주연
디자인　　이완수
발행처　　도서출판 더클
공급처　　명문사
출판신고　제2014-000053호
주소　　　서울시 금천구 디지털로9길 65 백상스타타워 1차 511호
전화　　　(02) 6213-3222
팩스　　　(02) 6111-3919
전자우편　thecleceo@naver.com
홈페이지　www.theclebooks.com

ⓒ윤현주 저작권자와 맺은 특약에 따라 검인을 생략합니다.
ISBN 979-11-953239-4-4 (03370)

도서출판 더클은 독자 여러분의 책에 관한 아이디어와 원고 투고를 기다리고 있습니다. 출간을 원하시는 분은 thecleceo@naver.com로 개요와 취지, 연락처 등을 보내주세요.

퀀텀리프

내 아이를 성장시키는 엄마표 교육법

도서출판 더 클

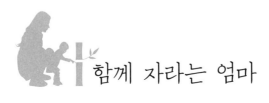

함께 자라는 엄마

2013년 12월 6일 금요일 5시. 큰딸 담임선생님으로부터 전화가 걸려왔다.

"어머님. 대학교 결과 확인하셨나요?"

"네. 오늘 경희대하고 아주대 합격했어요. 서울대는 아직 발표가 안 났네요."

"방금 서울대로 확인을 했어요. 호영이, 합격이라고 해요. 어머님 축하해요."

"정말요? 정말요? 진짜 합격이래요?"

믿을 수 없었다.

아이의 실력을 의심한 건 아니었다. 서울대는 마냥 멀리 있는 것만 같았기 때문이다. 정말이라는 말을 몇 번이나 뱉었다.

"네. 합격 맞아요. 축하해요 어머님. 다른 선생님들 모두 호영이 합격할 거라고 믿었어요. 호영이 아직 모르죠?"

"네. 감사합니다. 아이 바꿔 드릴게요."

내가 무슨 말을 하는지 듣고 있는지도 몰랐다. 그저 눈물만 나왔다.

"딸! 서울대 합격했대. 선생님이 전화하셨어."

호영이에게 전화를 넘기고 작은딸과 부둥켜안고 함성을 지르며 날뛰었다.

합격이라는 두 글자로 지금까지 내가 가지고 있던 미안함이 사라졌다. 아이가 사교육에서 벗어나 있다는 것에 대한 불안의 불씨가 늘 마음 한 구석에 있었다. 내가 힘들었던 시간, 아이에게 부족했던 모든 걸 보상 받는 기분이었다.

나는 그날 이후 비슷한 질문을 계속 받게 됐다.

"어떻게 사교육 한 번 안 받고 아이를 서울대 보내셨어요?"

"어머님만의 교육 노하우가 있으면 좀 알려주세요."

사람들의 질문은 다 비슷했다. 이유나 노하우를 나에게 찾았다. 아이 덕분에 훌륭한 엄마, 좋은 교사로 확인 받게 됐다.

노하우라고까지 할 만한 방법은 없다. 하지만 그럼에도 불구하고 사람들은 방법을 묻는다. 나는 곰곰이 생각했다. 그리고 사람들이 말하는 방법을 기억해냈다.

방법은 멀리 있지 않다는 게 가장 큰 노하우다.

'부족하면 부족한 대로 채워라'

내 아이 교육비법 제1조이다. 부족함을 부족한 대로 채워나가면 언젠가는 완성된다. 부족함은 절실함을 일깨워서 어떤 방법이 좋을지 생각하게 된다. 그 생각으로 실천된 일들은 나를 성장시켰고, 결과적으로 아이에게 행복한 교육법이 되었다.

우리는 넉넉한 환경, 비싼 교육과 거리가 있었다. 늘 부족하다고 생각했다. 하지만 부족하면 부족한 대로 채워나간다고 생각하자, 어려울 게 없었다. 오히려 부족한 부분을 채우는 일에 행복을 느꼈다. 엄마의 행복은 아이에게 전염되어 갔다.

그리고 느꼈다. 엄마가 행복해야 아이가 행복할 수 있다는 걸 말이다. 내가 첫째로 삼는 교육신념은 아이를 향하지 않았다. 오로지 나를 향했다. 내가 부족함을 채우고 행복해지면, 아이도 똑같이 행복해진다. 그리고 아이도 부족한 대로 채워나가는 방법을 배운다.

나는 어릴 적부터 여자라는 이유 하나만으로 집안에서 차별을 받았다. 우리 집에서 내가 대학을 간다는 건 꿈도 못 꿀 일이었다. 취직을 한 이후에 틈틈이 공부를 했다. 도중에 부모님이 알게 되면서 번번이 좌절된 때도 있었다.

결혼을 결심한 건 이때였다. 남편을 사랑한 게 가장 큰 이유였지만, 무엇보다 원하는 공부를 해도 된다고 말하는 남편의 말이 가장 달콤한 프러포즈였다. 1994년, 일 년을 아끼고 저금해서 모은 돈 650만 원으로 남부시장과 완산동시외버스터미널 사이 골목에 있는 작고 낡은 단칸방을 얻어 신혼집을 차렸다. 빚 150만 원으로 시작된 결혼생활이었다.

그 단칸방에서 큰딸을 가졌다. 당시 사회 초년생인 남편이 벌어다주는 돈으로 생활비를 쓰기만 해도 벅차던 때였다. 하지만 빚을 갚아야 했고, 경제적으로 어려운 시댁까지 도울 수밖에 없었다. 남는 건 하나도 없었다.

하지만 나도 엄마였다. 남부럽지 않은 태교를 해주고 싶었다. 텔레비전도 오디오도 없던 방에서 내가 해 줄 수 있는 건 내가 직접 동요를 불러 들려주고 내가 처녀 때 가지고 있던 책을 읽어주는 것뿐이었다. 〈난장이가 쏘아올린 작은 공〉, 〈수레바퀴 밑에서〉, 〈천국의 열쇠〉 좋은 책이지만 태교와는 먼 책들이었다.

내 수중에 있는 책은 그것뿐이었다. 나는 천천히 하루에 2쪽, 3쪽씩 뱃속 아이에게 들려주었다. 중간 중간 책에 대한 나의 생각을 덧붙이기도 했다. 아이와 대화를 나눈다고 생각했다.

집에 있는 책을 다 읽고 난 뒤에 욕심이 생겼다. 아이에게 맞는 책, 상상력을 자극해주는 동화를 읽어주고 싶었다. 그러나 동화책을 살 돈이 없었다.

나는 포기하는 방법대신 이야기를 직접 만들었다. 처음 만드는 이야기다보니 잘 이어지지 않기도 했다. 쉬운 방법을 찾기까지 시간이 걸렸다.

제일 먼저 눈에 보이는 걸로 이야기를 상상했다. 대부분 자연에 기댄 이야기들이었다.

앞뒤가 맞지 않는 이야기였지만, 엄마표 창작동화는 아이가 크고 나서도 계속되었다. 큰딸은 어릴 적 들었던 내 이야기를 아직도 기억한다. 바람, 비, 해, 눈, 꽃을 알게 된 건 내 입에서 나오는 이야기였다고 한다.

이미 정해진 이야기, 앞뒤가 멋지게 이어지는 이야기가 아닐지라도 괜찮다. 아이 눈높이에 맞는 이야기, 무엇보다 쉽게 주변에서 마주할 수 있는 걸 통해 이야기를 만들어 주는 것은 그 자체로 교육적 효과가 뛰어나다.

좋은 것들을 해줄 수 없던 부족함에서도 아이는 부족함을 못 느꼈다.

학력을 높이는 교육보다 중요한 게 있다. 바로 가정교육이다. 가정에서의 교육은 뿌리와도 같다. 뿌리가 깊지 않은 나무는 아무리 자라난다고 해도 금세 쓰러지기 쉽다. 많은 돈과 시간을 들여서 사교육을 해도 소용없다. 가정에서 아빠, 엄마와 교감하는 시간이 무엇보다 중요하다.

독립하고 싶어서, 공부하고 싶어서 선택했던 결혼이었다. 원하던 대로 새로운 꿈을 그렸다. 꿈을 향해 한 발자국씩 나아갔고 나의 삶을 바꿔 준 가족을 만나게 됐다. 생각해보면 배움을 포기하지 않았던 이유는 가족 덕분이었다.

돈이 없다는 것, 가진 게 적다는 이유는 배우는 걸 늦추기는 할 테지만 멈추게는 하지 않았다. 무엇보다 아이가 자라는 일과 내가 자라는 일이 함께여서 가능한 일이었다.

결혼 20년. 사교육 한 번 받아보지 않은 큰딸은 서울대에 합격했다. 나는 사람들이 묻는 비법을 알려 주고 싶다.

"교과서와 수업에 충실했습니다."라는 수능 전국 1등의 말과 다를 바 없다고 생각할지도 모른다. 본질은 기초다. 부족함이든, 가정이든 이 모든 것은 기초를 다시 확립시키면 가능하다.

내가 답을 얻기까지의 시간을 바로 이 책에 풀어 놓으려고 한다.

친구처럼, 언니처럼, 동생처럼, 그리고 때로는 엄마처럼 내 곁에 있어준 든든한 딸들의 이야기. 그리고 나에게 새로운 도전이 될 첫 책의 페이지를 채운다.

|목 차|

프롤로그 - 함께 자라는 엄마 · 4

1. 부족하면 부족한 대로 · 15

2. 부모도 함께 공부해라 · 25

3. 엄마의 이야기로 아이의 생각이 자란다 · 41

4. 스토리텔링으로 표현력 키우기 · 51

5. 말과 글로 생각에 옷을 입혀라 · 59

6. '환몽(幻夢)'이라도 지지해줘라 · 73

7. 삶은 '함께' 가는 길이다 · 85

8. 화내는 부모가 아이를 망친다 · 101

9. 부모와 아이의 마음을 공감대화로 엮어라 · 113

10. 생각의 조각을 연결하기 · 123

11. 언어유희로 말랑한 뇌를 만들어라 · 131

12. 온몸으로 아이와 접속하는 방법 · 141

13. 아이는 배운 대로 자란다 · 149

14. 최고의 교육은 경험이다 · 173

15. 나만의 언어, 아이만의 언어 · 195

16. 마음의 눈으로 그림 읽기 · 203

17. 책으로 검색하는 아이 · 215

18. 엄마의 꿈과 아이의 꿈은 다르다 · 223

19. 엄마는 아이의 마중물이다 · 229

20. 자투리 시간도 놓치면 안된다 · 239

21. '돈으로 산' 책이 아닌 '함께 만드는' 책 · 245

22. 가족과 함께하는 독서 · 251

에필로그 - 퀀텀리프(Quantum Leap) · 260
···엄마에게

부족하면 부족한 대로

처음 아이가 생긴 걸 알게 되면 대부분 엄마들은 눈 두 개, 귀 두 개, 코와 입이 제자리에 있길 바란다. 그리고 손가락, 발가락이 열 개이길 바란다. 누구나 마찬가지다. 건강하길 바라는 마음이 먼저다. 그러나 내 아이가 신체적으로 아무 이상이 없다는 걸 알게 되면 생각은 바뀐다. 내 아이만큼은 남들보다 똑똑해졌으면 하는 욕심으로 바뀐다.

엄마들은 여러 방법으로 태교를 시작한다. 태명을 지어서 아이의 이름을 시시때때로 불러주고, 태아에게 좋다는 음식을 골라서 먹기도 하고, 클래식을 듣기도 하며, 재미난 이야기책을 읽어주기도 한다.

나도 처음 큰딸을 가졌을 때, 남부럽지 않은 태교를 해주고 싶었다. 그러나 내가 해줄 수 있는 건 많지 않았다. 먹고 싶은 음식이 있어도 사 먹을 돈이 없었고, 이야기책을 읽어주고 싶었지만 책 살 돈이 없었다.

내가 결혼할 당시 전주시 일대는 승압 공사가 진행 중이었다. 가전제품은 이미 220v로 판매를 하고 있었고, 내가 얻었던 첫 집은 승압 공사 전이어서 아직 110v를 사용하는 집이었다. 당시 텔레비전은 공용으로 사용하도록 만들어져서 볼 수 있었지만 그 외 세탁기, 오디오, 냉장고는 사용이 불가능했다. 처음 혼수를 장만할 때 대리점에서 변압기기를 하나 받았는데 가장 시급한 냉장고용으로 사용할 수밖에 없었다.

건축 일을 하는 남편은 늘 머리부터 발끝까지 먼지투성이가 되어 돌아왔다. 자주 세탁이 필요한 상황이었다. 세탁기를 쓸 수 없으니 남편의 옷을 일일이 손빨래해야만 했다. 이런 상황에서 좋은 음악을 들려주기는커녕 매일 쌓이는 빨래며 집안일을 하느라 제대로 앉아 있지도 못했다.

오디오라도 틀어주고 싶었지만 승압 공사 때문에 오디오는 무용지물이었다. 그래서 나는 빨래를 하면서, 빨래를 널면서 아이에게 노래를 불러주었다.

'개나리', '비행기', '꼬까신' 어릴 적 배운 동요를 불러줬다.

그러다 아는 노래가 다 떨어지면 가사가 아름다운 가요를 불러주기도 했다.

"개나리 노란 꽃그늘 아래 가지런히 놓여있는 꼬까신 하나. 아이는 살짝 신 벗어 놓고 맨발로 산들산들 나들이 갔나. 가지런히 놓여있는 꼬까신 하나."

아이를 위한 태교음악이라고 했지만 실은 내가 더 행복함을 느꼈던 시간들이었다. 당시 뱃속에서 아이가 얼마나 잘 노는지 배가 뒤틀렸던 느낌이 지금도 생생하다. 내가 노래를 불러주면 마치 아이가 노래를 듣고 따라 부르기라도 하듯이 몸을 움직이는 게 느껴졌다.

모차르트, 베토벤과 같은 유명한 클래식 음악을 들려주는 것만이 좋은 태교라는 선입견을 갖고 있었지만 아이를 둘 낳고 키우면서 알게 됐다. 좋은 태교는 엄마와의 소통이라는 걸 말이다. 좋은 음악을 들려주는 행위보다 내가 부르고 온몸으로 소통하는 일이 더 귀한 태교다.

뱃속에 있을 때 불러준 걸 알아듣는지, 아이는 태어난 뒤에도 그 음악들을 좋아했다. 처음으로 따라 부른 노래이기도 했다. 아이가 태어나고 6개월 정도 후에 동네 승압 공사가 마무리되었다.

나는 기다렸다는 듯이 아이를 위한 동요, 크리스마스 캐럴, 디즈니 자장가 등 다양한 CD를 구했다. 대부분은 중고이거나 누군가가 준 CD였다. 오디오를 켜면서 무엇보다 즐거운 건 아이에게 여러 목소리를 들려준다는 기대가 컸다.

그중 '디즈니 자장가'는 우리 집에서 가장 인기 있는 CD였고, 지금까지도 딸과 내가 이불 속에서 부르는 노래다.

'디즈니 자장가' 중 양을 세는 노래가 우리 집 베스트다.

"양 하나 노래하고요. 양 둘 춤을 추죠. 양 셋 작은북을 치고요. 네 번째 양은 지휘자 (……) 열 번째가 말하죠. 처음부터."

태교음악은 이렇게 해결할 수 있었지만, 책에 대한 갈증이 심했다. 아이에게 맞는 책을 구할 방법이 없었다. 나는 결국 내가 가진 책을 읽어주며 태교를 했다.

친정에서 뒹굴던 책들과 내가 결혼 전에 사두었던 책들을 아이에게 읽어주었다. 〈난장이가 쏘아올린 작은 공〉, 〈수레바퀴 밑에서〉, 〈천국의 열쇠〉 등 아이에게 읽어주기에는 무리 있는 내용이었다.

나는 천천히 하루에 2, 3쪽을 읽어줬다. 때때로 내 생각을 말하기도 했다. 책 속의 좋은 구절을 발견하면 아이에게 다시 읽어줬다. 책을 읽어줄 때도 아이의 반응은 나타났다. 특히 뱃속의 태아와 마치 대화를 하듯이 이야기를 나눌 때면, 아이는 답이라도 하듯 뚜렷한 움직임을 보였다.

이 시기에 깨달은 자녀 독서 교육법이 바로 '낭송'이었다. 소리를 내서 읽게 되면 많은 사람이 함께 책을 읽는 효과가 있고, 읽는 사람의 오감을 건드려주는 효과가 있다. 뱃속의 아이도 충분히 공감할 수 있다.

최근 읽은 고미숙 작가의 〈호모 큐라스〉에서도 낭송의 중요성을 강조했는데 100% 공감하는 바이다.

소리의 울림은 온몸을 통해 나오는 또 다른 음악이 된다. 그 소리에 아이는 뱃속에서 활발히 잘 놀았다.

'모차르트 음악을 들려주며 여유를 갖고 명상할 수 있었다면 더 발달된 두뇌를 지닌 아이가 태어나지 않았을까?'라는 아쉬움이 있었다. 아쉬움을 채우는 방법으로 내가 알고 있는 판소리의 한 구절인 사철가를 불러 주기도 했다.

"이 산 저 산 꽃이 피니, 분명코 봄이로구나. 봄은 왔다가는 가련마는 이 내 청춘은 올 줄을 모르네그려…"

판소리라기보다는 내 넋두리에 가까웠다. 그래도 늘 마음 한구석에 믿는 게 있었다. 이 세상 그 어떤 음악이 아름답다고 해도 인간이 직접 내는 목소리보다 아름다운 음악은 없다는 근거 없는 자신감이…….

무엇보다 아이에게 엄마나 아빠의 목소리만큼 안정감을 주는 소리는 없다고 확신했다. 넋두리인지 모를 판소리든 이별 가사든 아무거나 생각나는 대로 불렀다. 그저 소리를 내고 아이에게 불러 준다는 일에만 집중했다.

음악만큼 아쉬운 건 책도 마찬가지였다. '상상력을 자극해주는 어린이용 창작동화를 읽었다면 더 창의적인 아이로 자라지 않았을까?' 하는 생각도 든다.

동화책을 사지 못해 내가 직접 자연을 주제로 한 이야기를 만들었다.

"오늘은 바람이 불었어요. 검은 구름 친구들이 몰려오네요. 하늘을 손가락으로 찌르기만 해도 금방 뭐라도 쏟아질 듯 흐린 구름으로 가득해요. 어, 어, 정말이에요. 하늘에서 하얗고 차가운 동그라미 하나가 내게로 떨어졌어요. 코 위에 하나. 볼 위에 하나. 이게 뭘까? 손을 펴서 받았어요. 그런데 눈으로 보기도 전에 사라져버렸어요. 아이는 '이게 뭘까?' 하며 궁금해했어요.

밤이 되어 집으로 돌아간 아이는 내내 궁금했어요. 밤이 지나고 아침이 되어 엄마의 손을 잡고 나온 아이는 알게 되었어요. 어제 아이가 만지고 싶고 보고 싶던 하얀 친구가 누구인지. 밤새 소복이 쌓인 하얀 눈이 세상을 비추고 있었어요.

아이는 하얀 친구에게 '밝음이'라고 이름을 불러 줬지요. 이제 아이는 알아요. 차가운 몸을 가진 이 친구가 우리를 따뜻하게 해 줄 수도 있다는 것을요."

부족하다고 생각되는 부분은 어떻게든 해결하려고 노력했다. 내가 대단해서 할 수 있는 일이 아니었다. 보통의 엄마라면, 부족한 게 있다면 누구든 할 수 있는 일이다.

엄마표 창작동화를 계속 만들었다. 노트에 메모를 해두기도 했다. 메모한 이야기는 아이가 태어나서도 들려줬다.

전문 작가가 지은 것보다 엉성할 수밖에 없었다. 하지만 아이는 엄마의 이야기를 통해서 바람을 배우고, 비를 배우고, 햇살과 눈, 꽃과 색을 배웠다. 아이가 하나하나 알아간다는 건 즐거운 일이다. 무엇보다 세상에는 아름다운 자연이 있고 이야기가 있다고 느끼게 해주는 걸 가장 큰 목표로 삼았다.

누가 봐도 앞뒤가 멋지게 이어지는 이야기는 아닐지라도 아이 눈높이에 맞는 이야기를 만들려 했다. 무엇보다 자연에 초점을 맞춘 이유가 있었다. 아이가 쉽게 마주하고 알아가는 이야기를 만드는 게 최상이라고 생각했기 때문이다.

들려주는 이야기에서 보여주는 이야기가 됐을 때, 교육적 효과가 뛰어나다고 확신했다. 물론, 엄마와 교감하는 시간 자체가 더 중요하고 훌륭한 교육이다.

아무것도 없다고, 돈이 없어 안 된다고 말하는 사람 많다. 나도 그랬다. 그 생각은 옳지 않다.

그 고민 대신에 '내가 과연 뭘 해줄 수 있을까?'라는 고민을 해야 한다. 작은 일이라도 시도조차 하지 않는 엄마보다 엉터리 태교라도 시작하는 게 더 중요하다.

태교라는 글자에 더 집중하면 쉽다. 말 그대로 아이와 엄마가 교감을 하는 일이다. 교감에 반드시 돈이 필요한 게 아니다. 태교는 아이에게 좋은 걸 선택하는 것 이전에 엄마가 행복해지는 방법을 선택하는 일이다.

아이에게 엄마의 행복 에너지가 전달되는 게 바로 태교다.

남들보다 없는 살림이었고 누군가보다 모든 게 부족하기만 했다. 그래서 시작한 일이었다. 남들과 같은 상황에 있었다면, 나도 무조건 남들처럼 따라했을 일이다.

이렇게 하다 보니 나름 신조라는 것도 생겨났다.

'시작은 미미하였으나 끝은 창대하리라.'라는 성경의 한 구절처럼, '부족하면 부족한 대로 키워라.'는 생각으로 내 아이를 키우는 교육비법 제1조가 된 것이다. 이건 앞서 말했듯 아이에게 집중된 일이 아니다.

부족한 일에 미안해하고, 슬퍼할 시간이 아까웠다.

'왜 그런 자격지심을 가져야 하지?'라는 생각이 들었다.

내가 노력해서 다 같이 행복하면 될 일이었다. 아이의 행복에
초점을 맞췄다면, 어떻게든 남들에게 맞추려고 했을 테지만 그러
지 않았다. 그건 내가 행복한 일이 아니었기 때문이다. 엄마의 행
복에 초점을 키워야 한다. 이게 바로 태교의 근간이다.

노래를 불러주고 이야기를 들려주는 일에서 멈추지 않았다. 계
속해서 아이에게 말을 걸었다. 배 위에 손을 대고 말을 하기도 했
고, 걸으면서 큰 목소리로 아이의 이름을 부르기도 했다. 마치 옆
집 아줌마와 수다를 떠는 일처럼 쉬지 않았다.

태교수다는 아이가 태어나고도 계속 됐다.

남들이 한다는 교육적 대화와는 거리가 있는 말들이었다.

"오야, 그랬어?"

"그랬구나. 응가 때문에 엉덩이가 간지러웠겠구나."

"맘마 맛있지. 엄마가 쭈쭈를 더 주고 싶은데 엄마 쭈쭈가 아야
해서 안된대. 엄마가 미안해. 분유라도 맛있게 먹고 쑥쑥 크자."

"아이고, 춥네. 따뜻한 물로 준비했는데. 외풍이 너무 심해서
금방 물이 식어버렸네. 우리 빨리 씻자. 엄마가 따뜻하게 옷 입혀
주고 안아줄게. 그래도 아직 물속은 따뜻하지?"

아이는 눈을 마주치다가도 다시 주변으로 시선을 돌렸다. 아이
와 대화를 이끌기 위한 이야기가 아니었다. 엄마가 옆에서 말을
한다는 건 '엄마가 늘 네 곁에' 존재한다는 의미를 심어주기 위
해서다.

이건 모든 엄마들이 한 번씩 하는 방법이다. 다른 게 있다면, 나는 이 일을 오랫동안 지속했다는 거다. 태교수다는 내게도 도움이 되었다. 말발의 근간이 되었다.

교육적 철학은 아이를 키우는 내내 이어졌다. 집안형편이 예전보다 나아진 후에도 '2% 부족하게 키워라.'라는 교육철학이 생겼다. 이미 부족해도 가능하다는 걸 깨달았기 때문이다.

그걸 토대로 아이에게 절약과 나눔을 가르치고, 부족함을 메우는 절실함을 가르쳤다. 아이의 삶이 넉넉하든 부족하든 스스로 살아가는 힘으로 충분하다고 생각했다.

☁ 부모도 함께 공부해라

우리 집 거실에는 내가 손으로 쓴 시가 한 편 붙어있다.

〈 엄마를 구하다 〉

곽해룡

"학교 다녀왔습니다."
"그래."
연속극에 붙들린 엄마
방에서 나와 보지도 않고 대답한다.

"급식 때 내가 좋아하는 자장밥 나왔어요."

"그래."

"우리 반 미혜가 전학 갔어요."

"그래, 알았으니까 숙제나 해라."

연속극에 손 발 다 묶인 엄마

대답만 새 나온다.

"영어 시험 백 점 받았어요."

"어디 보자, 우리 아들."

엄마가 뛰쳐나온다.

연속극에 붙들린 우리 엄마

드디어 구해 냈다.

요즘 부모의 모습을 여실히 보여주는 시다. 부모는 소파에 앉아 드라마를 보면서 아이들에게 책을 읽으라고 말한다. 휴대폰으로 게임하면서 아이들에게 학원 다녀오라고 말한다.

요즘은 일하지 않는 엄마들도 워낙 바쁘다. 아이들이 돌아오는 시간에 집에 없는 경우가 허다하다. 아이들의 가장 큰 불만 중 하나는 "엄마는 하면서 왜 우리는 못하게 해요."이다.

예전에 잠깐 입원했다가 퇴원했을 때였다. 몸이 무거웠다. 집에 있는 동안 당분간 휴식을 취하고자 매일 소파에 누워 드라마를 보거나 잠을 자고는 했다. 그러면서도 입으로는 아이에게 책을 읽으라고 말했다. 며칠 그런 생활을 하다 보니 습관이 됐다. 몸이 회복이 된 후에도 소파에서 잠을 청하기 일쑤였다.

그러다 어느 순간 '이건 아닌데'라는 생각이 들었다. 한 번 든 나쁜 습관은 생각처럼 쉽게 고쳐지지 않았다. 어쩔 수 없이 늘어난 잠 문제를 해결할 방법을 생각했다.

아이가 학교에서 돌아오기 전 잠깐씩 잠을 청했는데, 옆에 책을 두고 잤다. 그러다 문 여는 소리가 나면 급히 일어나서 책을 읽고 있었던 것처럼 작전을 짰다. 거짓말에 가까운 행동이었지만, 이렇게라도 하지 않으면 습관을 고치지 못할 것 같았다.

그러다 보게 된 시다. 이 시를 보면서 아이에게 부끄럽고 미안했다. 당장 시를 써서 거실 벽에 붙여놓고 바로 아이와 함께 공부를 시작했다. 함께 책도 읽고, 함께 대화도 나누고, 함께 공부도 하는 엄마로 돌아갔다.

결혼을 하고, 아이가 태어났다. 딸의 웃는 얼굴을 보면서 마음이 먹먹해졌다. 나중에 딸이 컸을 때를 내다보게 됐다. 딸 앞에 부족한 엄마로 서 있는 것에 대한 불안함과 부끄러움이 늘 마음 한 구석에 있었다. '지금 내가 서있는 곳이 세상의 밑바닥일지도 모른다.'라는 생각도 들었다. 암담하고 괴로웠다. 무엇보다 아이에게 부끄러웠다.

밑바닥에서 한번에 벗어난다는 생각보다 한 계단이라도 위로 올라간 세상을 아이에게 물려주고 싶다는 생각을 먼저 했다. 안정된 생활이 아닌 아이에게 물려줄 한 계단 위가 어떤 곳일지 생각했다.

그리고 내가 제일 중요하게 생각하는 '엄마의 행복'을 마음속에 그렸다. 나에게도 도움이 되고 아이에게 부끄럽지 않은 일은 한 가지라고 생각했다. 바로 공부였다.

아이에게 엄마가 꿈을 향해 앞으로 나아간다는 걸 꼭 보여주고 싶은 마음에 공부를 다시 시작하기로 했다.

아이를 낳은 다음 해에 한국방송통신대학교 영어영문학과에 지원했다. 등록금 걱정이 앞섰다. 반찬값을 아껴가며 백 원, 천 원씩 모아 넣었던 적금통장을 깼다. 남편에게 조차 말하지 않았다. 시험을 치루는 건 아니었지만 고등학교 성적표도 내야했다. 혹시라도 떨어졌다고 하면 창피할 것 같았다. 무엇보다 친정 부모님께 "애나 잘 키우지 이제 와서 무슨 공부를 한다고 난리냐?"라는 말을 들을 것 같아 몰래 지원했다.

지금도 생생히 기억난다. 크리스마스 배경으로 그려진 빨간색 포대기로 아이를 업고 나왔다. 학교에 찾아가 원서를 접수하고 돌아오던 버스에서 얼마나 눈물을 흘렸는지 모른다. 추적추적 내리던 겨울비, 아이만큼이나 작은 엄마가 아이를 업고 눈물을 흘리고 있으니 어떤 아주머니께서 자리를 양보해 주셨다.

"호영아. 엄마 이제부터 공부하려고. 엄마 공부 포기하지 않고 끝까지 할 수 있게 이제 호영이가 엄마를 도와줘야 하는데… 엄마 공부할 때 잘 도와줄 수 있지?"

벅차오르는 기분과 혹시나 하는 마음에서 나도 모르게 눈물이 나왔다. 그런 와중에도 버릇처럼 아이에게 말을 걸고 있었다. 알아듣지 못할 아이에게 주저리주저리 떠들었던 버스안의 기억은 겨울마다 떠오른다.

드디어 기다리던 연락이 왔다. 합격이었다. 하지만 합격의 기쁨이 채 가시기도 전에 내 발목이 잡힐 상황이 생겼다. 발표 다음날 아이의 고모가 집에 찾아왔다. 대학에 합격했는데 등록금이 없다고 말했다.

지금 나에겐 내 등록금이 더 큰일이었다. 바로 답을 주지 못하고 3일 후에 와달라고 했다. 머릿속에서 많은 생각들이 뒤엉켰다.

'누구보다 당당한 엄마가 되고 싶었는데…….'

하지만 대학을 꼭 가고 싶다는 아가씨의 부탁을 거절할 수 없었다. 나는 아이 고모에게서 내 모습을 봤다. 그토록 가고 싶었던 대학을 가지 못한 채 지금껏 마음 고생한 나의 모습과 아가씨의 모습이 겹쳐졌다.

결국 나는 통장을 모두 깨고 돈을 싹싹 긁어모았다. 아가씨의 등록금과 졸업식과 입학식을 위한 용돈까지 400만 원을 줬다. 당시 나는 850만 원짜리 단칸방에서 살고 있었을 때였다. 누군가에게는 어떨지 모르겠지만 나에게는 엄청난 돈이었다.

공부하고 싶은데 돈이 없어서 못한다는 것, 주변 상황 때문에 하고 싶은 일을 못한다는 것. 이처럼 불행한 일은 없다는 걸 이미 경험했던 나였다. 앞장서서 도와주고 싶은 마음이 컸다.

등록금을 내주고 가정 경제가 완전 쪼들린 상태였지만 나도 공부를 시작했다. 학교공부만 바라보는 건 내 의지와는 다른 일이었다. 스스로 할 수 있다고 독려했다.

문제는 아이였다. 하나부터 열까지 챙겨줘야 할 시기였다. 그러다보니 아이가 잠이 들어야 공부할 수 있었다. 아이를 재우고 틈난 시간마다 책을 들여다봤다.

아이가 있는 엄마들은 모두 알 것이다. 아이를 재우고 있다 보면 어느새 엄마도 잠이 든다는 걸 말이다. 한 번은 아이를 재우고 공부를 하다 나도 모르게 잠이 들었다. 아이가 우는 소리에 놀라 잠에서 깼다.

바닥이 온통 축축했다. 내 옆의 책들은 온통 쭈글쭈글해져 있었다. 아이가 책에 오줌을 싼 것이다. 큰맘 먹고 비싸게 구입했던 영어사전은 오줌샤워를 했다. 화도 나지 않았다. 영어사전을 버릴 수도 없었다. 나는 영어사전을 잘 말려 공부했다. 작년 곰팡이가 심해져 버릴 때까지 나의 보물 중 하나였다.

나는 다시 대학에 도전했고, 드디어 입학하게 됐다. 4학년 졸업반 때 시아버님께서 편찮으셔서 한 학년 미루기는 했지만 포기하지 않았다.

친정일, 시댁일, 우리 집일까지 모든 걸 도맡아 하면서 지칠 수밖에 없었다. 체력적인 한계도 여러 번 맛보면서 일 년에 한 번씩 병원에 입원하는 상황까지 갔다.

시험기간 중에 입원했던 적이 있는데 링거를 맞고 잠이 들다가도 틈나면 일어나서 공부를 했다. 병원에서는 그런 나를 황당해하면서도 여러 배려를 해 주었다.

아이에게 본보기 되는 엄마가 되고 싶었다. 하루도 허투루 살지 않았다. 공부가 마무리 될 때부터는 문화센터에서 자원봉사를 했다. 영어전문학습지 회사에 취직해 관리교사가 되었고, 파트타임으로 학원에서 아이들을 가르치기도 했다.

문화센터에서 봉사 할 때는 스스로 성실한 삶을 산다는 게 어떤 것인지 배우는 경험을 했다. 내가 열심히 사는 모습을 좋게 봐주신 교수님께서 동사무소(현, 주민자치센터) 문화센터에서 어르신들 영어를 가르치는 봉사를 해 보라 권했다.

배우고, 써먹는 데에 열을 올렸던 때였다. 하지만 늘 부족한 마음이 들었다. 틈날 때마다 평소 관심 있었고 필요하다 생각했던 자격증 공부를 했다.

주변에서는 이렇게 떠들기도 했다.

"자식이나 잘 키우지. 뭐한다고 자기가 공부를 열심히 해?"

"애는 학원도 안 보내고, 유치원도 안 보내면서 자기는 만날 공부한다고 싸돌아다녀?"

따가운 시선을 받아내야 했다.

나도 엄마다. 이런 말을 들을 때마다 아이에게 미안한 마음이 들었다. 나 스스로도 '아이 학원비로 내가 마치 공부하러 다니는 것 같네.'라는 죄책감에 휩싸이기도 했다.

하지만 생각을 바꾸지 않았다. 배우는 일과 가르치는 일을 계속했다. 내 생각이 더 옳다는 결론을 내렸다. 돈보다 중요한 건, 아이에게 끊임없이 노력하고 공부하는 엄마의 모습을 보여주는 일이라고 믿었다.

공부를 하면서 깨달은 자녀 성장 교육법이 있다. 아이들은 어른들이 걱정하는 것보다 훨씬 강하다. 계속해서 울타리를 쳐주고, 모든 걸 대신해줄 필요가 없다.

단 필요한 건 있다. 부모가 아이에게 진실하게 대해야 한다. 그리고 어릴 적부터 애착관계 형성을 잘 이루어내야 한다. 부모에게 어떤 어려움이 생겨도 아이는 의젓하게 이겨낼 힘이 있다. 그리고 부모를 도울 힘을 가지고 있다.

모든 것을 부모가 책임지려 하지 말고 아이가 스스로 할 수 있다는 믿음으로 아이를 한 발 물러선 거리에서 응원하는 태도가 필요하다.

건강이 안 좋아져 쓰러진 일이 종종 있었다. 한 번은 아이 앞에서 쓰러져 버렸다. 내 건강보다 아이의 마음이 더 걱정됐다. 놀랐을 게 분명했다. 하지만 아이는 의연했다. 조용히 눈치를 보면서 내가 다시 건강해지는 시간을 기다렸다. 나는 그때 알았다. 아이들은 선천적으로 강하게 태어난다는 걸 말이다.

내 자신과 딸을 위해 공부하고 일을 하며, 나머지 시간은 무조건 아이와 보냈다. 중점적으로 생각한 건 '친구처럼'이었다. 그리고 딸뿐 아니라 날 만나는 아이들을 이해하기 위해 전북대학교 교육대학원에서 교육심리학을 공부하기로 했다.

처음으로 엄마에게 손을 벌렸다.

"엄마, 나 대학원에 가려고 하는데 엄마가 나 입학금 한 번만 내주면 안 될까?"

엄마와 학교 이야기를 하는 건 상처를 들쑤시는 일이다. 아무리 아빠 반대가 심했지만, 엄마라면 어떻게든지 딸 공부를 시켰어야 한다는 막연한 생각이 있었다. 그래서인지 난 대학을 안 보낸 아빠보다 가만히 있던 엄마가 더 미웠었다.

그만큼 어려운 결심이고, 질문이었다. 어쩌면 돈보다 엄마 손을 빌려 학교에 가고 싶은 마음이었다.

엄마는 울먹이며 말을 했다.

"엄마가 진즉에 너를 대학에 보냈어야 하는데… 대학도 못 보내고 고생만 시켜 늘 미안했어. 엄마가 다는 못 줘도 조금이라도 줄게 학교 가서 공부 열심히 해."

그제야 엄마의 마음을 알게 됐다. 내 의견을 무시한 게 아니었다. 해주고 싶었지만, 해줄 수 없었던 때였다.

엄마는 얼마 전 뜬금없이 전화해 "요즘 딸 덕에 사네. 딸이 텔레비전에도 나오고, 책도 쓰고……. 딸 사랑해."라고 하셨다. 그 말에 또 먹먹해졌다.

당시 내 몸은 최악의 상태였다. 학업을 이어가는 게 가능할 수 있을까 스스로 의심 할 정도였다. 게다가 남편의 월급도 고정적으로 들어오지 않았다. 학교를 다니는 게 큰 사치였다. 난 다시 결심했다. '부족하면 부족한 대로' 라는 말을 계속 되뇌었다.

아이에게 멋지고 우아한 모습을 보여줄 자신은 없다. 하지만 보여주고 싶은 모습은 확실했다. '나 자신의 삶을 위해 공부하는 모습을 보여주기' 이게 가장 현명하고 확실한 교육이었다. 열심히 공부한다는 게 성실하게 사는 엄마의 모습을 보여주는 일이기 때문이었다.

아이에게 부끄럽지 않게 살기 위해 많은 것을 시도했다. 메모 수준이라고 해도 일기를 써 내려갔다. 더 배울 게 없는지 주변을 둘러봤다. 일을 맡으면 최선을 다해 준비하고 시연하는 모습을 보여줬다. 일부러라도 이런 엄마의 모습을 많이 보여주려고 했다.

아이는 엄마를 보고 배우기 때문이다.

가장 노력했던 건 독서다. 책을 손에서 놓지 않으려 애를 썼다. 일 년 평균 70권 이상의 책을 읽었다. 수업과 관련한 어린이 도서까지 더하면 100여 권이 넘는 책을 읽었다. 책을 다 읽고 나서 기억하기 위해 기록을 했다.

〈다산선생 지식경영법〉이란 책에서 나온 말이다. '구슬이 서 말이라도 꿰어야 보배다.'라는 속담처럼 많은 지식이 있어도 자신의 것으로 재탄생하지 않으면 지식이 아니라고 한다. 책을 '읽었다.'로 끝내는 건 진정한 독서가 아니다. 아이들에게 독서를 시킨 뒤에 독서 감상문을 쓰게 하고 한 줄 느낌쓰기나 기록장을 쓰게 하는 이유다.

나의 행동반경에는 늘 3권에서 5권의 책이 있다. 펜과 노트 또한 여러 곳에 자리 잡고 있다. 요즘 주변에 뒹구는 책들은 대개 금주에 읽기로 결심한 도서 한 권과 하루 하나 읽는 〈시경〉, 하루 하나 필사하는 〈퇴계와 고봉, 편지를 쓰다〉란 책, 하루 하나 낭송하는 책, 수업을 위해 급히 읽어야 하는 책 등이다.

독서 감상문을 쓸 노트와 필사하는 노트는 기본으로 옆에 있어야 했다. 일기장과 맘에 드는 시구나 명언을 적는 노트, 스케줄을 적는 노트까지 다양하게 됐다.

하루는 아이들이 이렇게 물었다.

"엄마도 다른 아줌마들처럼 살면 안 돼?"

"다른 아줌마들은 어떻게 하는데? 내 주변 사람들은 다 나랑 비슷하게 살던데. 아! 맞아. 다른 사람들은 더 똑똑한 것 같아. 책도 엄청 빨리 읽고 한 번 읽고 느낌을 어찌나 잘 표현하는지 난 따라갈 수가 없다니까!"

"아니, 그게 아니고, 다른 아줌마들처럼 드라마 보고, 다른 사람들 만나고 그렇게 살면 안 되냐고."

"나도 텔레비전은 많이 보잖아. 드라마도 보고, 사람도 만나고…"

"엄마는 드라마보다는 역사드라마, 다큐 이런 거만 보잖아. 사람도 만나는 것도 대부분 일 때문이고…"

"엄만 남보다 머리가 나쁘고 행동도 느려서 그렇게 하면 일도 그만두고 책 읽기도 그만 둬야해. 그리고 엄만 이런 시간이 더 좋아. 왜? 너희들은 싫어?"

"아니. 싫은 건 아니야. 엄마가 우리보다 공부도 많이 하고 책도 많이 보니까 좀 이상해. 우리가 아무리 열심히 해도 티도 안나."

나는 조선시대 이덕무 학자 이야기를 했다. 배움이 남보다 늦어서 남보다 더 열심히 살아 온 학자다. 남보다 늦었다는 걱정이 앞서 책을 더 많이 보았다는 학자다. 엄마가 존경하는 학자 중 한 사람이란 걸 확실히 알려줬다. 나도 늦었다고 생각했으니 더 열심히 해야 하는 이유가 있다고 말이다.

"엄마는 앞으로도 이렇게 살 거야. 왜냐면 엄마의 꿈이라서 그래. 엄마는 만약 환생이 있다면 조선시대 선비 같은 사람으로 태어나고 싶어. 사람이 보이지 않는 곳에서도 바른 자세와 바른 생각을 하는 사람. 늘 학문에 정진하고 참된 세상살이를 꿈꾸던 선비처럼 말이야. 그러려면 살아있을 때 더 열심히 책이라도 읽어둬야 나중에 멋진 선비로 환생하지 않을까? 원래 이 세상에서 내가 얻은 지식은 다음 생에서 다시 써먹을 수 있다고 하잖아."

아이들은 고리타분하고 앞뒤 막힌 선비를 떠올리는지도 모른다. 아무래도 좋다. 내가 변화하고자 하는 내 모습을 아이들에게 설명하는 것만으로 충분하다.

아이들의 질문에 구체적으로 답변을 하되 내 꿈, 욕심을 아이들에게 바라서는 안 된다. 지금 엄마라는 개인적 상대의 꿈 이야기만으로도 아이들은 많은 생각을 하게 된다.

내가 좋아하는 노래 중 하나는 나를 돌아다보게 하는 이승환의 〈물어본다〉다.

'현실과 마주쳤을 때 도망치지 않으려, 피해가지 않으려, 내안에 숨지 않게, 나에게 속지 않게. 그런 나 이어왔는지 나에게 물어본다. 부끄럽지 않도록, 불행하지 않도록.'

많은 시련의 시간들을 버티어 온 것은 내가 엄마이기 때문이다.

딸들이 있기 때문이다. 어떻게 보면 큰딸 덕에 열심히 산 보상을 받았다. 늘 부끄럽지 않도록 노력했다. 노력은 절반의 성공을 가져온다.

중학교 1학년 때 아이는 성실 아이콘으로 학교 선생님들의 관심을 받았다. 사교육 없이 학교를 다니다보니 수업 집중도가 높았다. 질문을 자주했고, 원하는 답을 찾기 위해 노력했다.

우리 집은 여전히 형편이 나빴다. 시아버님의 빚을 갚느라 돈을 무리하게 쓰다 보니 경제적으로 나아질 기미가 보이지 않았다. 경제적 스트레스로 남편은 술에 의지하게 되었다. 그야말로 집안 분위기가 엉망이었다. 아이들에게 내색하지 않았지만 나도 건강이 악화되었다. 갑자기 난소에 문제가 생기면서 삶이 고달팠다.

이런 분위기에 큰아이 신장에 문제가 생겼다. 대학병원에 다니게 되는 일까지 겹쳤다. 아이는 내색하지 않았다. 늘 밝았고 학교생활에 충실했다. 선생님들은 이런저런 상황을 알게 되자 아이를 장학생으로 추천해 주었다.

힘들다고 내색하지 않는 아이. 처음에는 아이답지 않은 의연함이 나를 슬프게 만들었다. 하지만 되돌아보면 나는 아이가 그렇게 되도록 바라고, 키워왔다. 성실하고 강하게 노력하는 자세. 이런 모든 것들이 아이에게 또 다른 기회를 주었다.

더불어 나도 아이를 잘 키우고 열심히 산다는 명목 하에 학교에서 '장한 어머니상'을 받게 되었다.

인후시립도서관에서 독서치료를 수강하고 있는 날이었다. 때마침 그날은 야외수업을 대신하여 교실에서 자유롭게 음식도 먹고 장기자랑도 하는 자유 시간을 보내고 있었다. 아이의 학교번호로 전화가 와서 한 쪽으로 나가 조용히 전화를 받았다. 상을 받게 되었으니 수상하러 오라는 내용이었다.

기쁜 마음이 우선이었지만 한편으로 부끄러워졌다. 만감이 교차했다. 그러면서도 어찌나 그곳에 있는 사람들에게 자랑을 하고 싶었던지 입이 간질거렸다. 심장은 두근대고 얼굴은 빨갛게 상기되었던 기억이 지금도 선명하다.

지금도 큰 소리로 말하고 싶다. "나 장한 어머니상 받은 사람이야."라고 말이다. 이 글을 읽는 모두가 장한 어머니가 될 수 있다. 아이와 함께 배우고자 노력한다면 충분하다.

🌧 엄마의 이야기로
아이의 생각이 자란다

나는 중학교, 고등학교를 집안 어른 눈치를 보며 다녀서인지 급격히 말수가 줄어들었다. 친구를 사귈 마음도 없었고, 아이들과 말도 잘 안 섞었다. 습관이 되니 사람들과 관계 맺는 게 어려워졌다. 매일 책만 파고들어서인지 혼자 책을 읽는 시간이 훨씬 편했다.

고등학교 졸업 후 여러 일을 하면서도 말을 거의 하지 않는 성격 때문에 "기분이 안 좋니?"라는 질문을 꽤 많이 받았다. 고치고 싶었지만 쉽지 않았다.

남편과 결혼을 결정한 이유 중 하나는 나에게 이런저런 이야기를 해주는 모습 때문이었다. '사람이 사람에게 이야기를 자연스럽게 해줄 수 있구나!'라는 느낌이 새로웠다. 호감이 생겼다. '말은 많이 할 필요가 없고, 많이 해서는 안 된다.'는 생각이 컸던 나였다. 그런 나를 남편이 바꿔주었다. 난 성격도 점차 밝아졌다.

말을 한다는 행위의 중요성, 의사소통 기능이 결국 생각까지 자라나게 한다.

아이와 단둘이 남겨진 시간에 뭘 해야 할지 생각했다. 남편이 나에게 조곤조곤 이야기를 하고 생각을 하도록 자극한 시간이 떠올랐다.

'그래, 남편이 나에게 한 것처럼 아이에게 이야기를 들려주자.'

그때부터 나는 아이에게 그냥 내 생각, 지금 현재 상황을 주저리주저리 이야기하기 시작했다. 지금 생각해 보면 처음 갓난아이에게 들려준 건 이야기라기보다는 내 푸념이었다. 아빠 흉도 보고, 엄마가 지금 얼마나 힘든지까지 말했다.

당시 내가 얼마나 나쁜 엄마였는지 반성하게 된다. 이제껏 맘속에 담아둔 이야기를 모두 하기로 작정한 사람처럼 아이에게 많은 이야기를 들려주었다. 말을 하는 것, 소리를 내고 눈을 마주하는 것보다 좋은 교육은 없다. 다만 내 팍팍한 삶 이야기에만 집중했다. 이건 피해야 하는 방법이다.

아이가 자랄수록 책을 많이 읽히고 싶었다. 일회용 기저귀를 안 쓰고 천 기저귀를 빨아 쓰면서 돈을 아꼈다. 집에 있을 때는 기저귀를 아예 벗겨놓기도 했다. 덕분에 아이는 대소변을 일찍 가리게 됐다.

그렇게 돈을 아껴도 한 달에 고작 2권을 살 수 있었다. 아이는 책을 좋아했다. 책이 뭔지도 모르는 나이에 아이는 책을 가방처럼, 인형처럼, 베개처럼 들고 다녔다.

아이는 한 권을 읽더라도 몇 십번이고 반복해 듣는 걸 좋아했다. 한 번은 어린이 책 판매하는 분이 책을 소개하면서 한 권을 샘플로 두고 갔다. 일주일 후에 오겠다고 했는데, 그동안 아이는 책을 다 외워버렸다.

읽고 외운 게 아니었다. 내 말을 듣고 외운 거였다. 일주일동안 그 책을 백 번도 넘게 읽어줬다. 제목도 기억난다. 〈빨간 눈 파란 눈〉이었다. 책을 들고 다니다가 한쪽 구석에서 책을 안고 자기도 했다.

일주일 후 책을 가지러 왔다. 책을 달달 외운 아이를 보고 깜짝 놀라했다. "아이고, 이런 애들은 책을 꼭 사줘야지." 당시 내 형편으로는 도저히 전집을 살 수 없었다.

"젊은 엄마가 아이에게 책 사주는 돈을 이렇게 아까워하면 안 되지. 반찬을 덜 사도 책을 사야지. 더구나 이것봐봐 책을 얼마나 좋아하는지! 세상에나. 꼭 사줘야 해."

나를 채근했지만, 결국 책을 사지 못했다. 그분이 돌아가고 난 후에 얼마나 울었는지 모른다.

미안했지만 우는 일에만 매달리면 안 됐다. 아이가 좋아하는 책을 대신 할 게 필요했다. 다음날 나는 방법을 생각해냈다.

'그래! 내가 직접 이야기를 해주지 뭐.'

내가 어릴 적 읽었던 옛이야기나 동화들을 아이 수준에 맞춰 들려주기 시작했다.

"아주 옛날, 깊은 산속에 집이 하나 있었지. 그 집엔 나이가 많은 엄마와 아들이 살고 있었대. 아들은 산속에 있는 나무를 해서 시장에 파는 나무꾼이었지. 그 돈으로 엄마에게 맛있는 고기도 사다주고, 가끔은 옷도 사다주었대. 어때? 아들 착하지? 어느 날, 아들이 나무를 하고 있는데, 사슴이……."

이런 식이었다. 어려운 말이나 미사어구 같은 것도 생각해내지 못했다. 그저 내가 어렴풋하게 기억하는 내용을 이야기로 풀어냈다.

아이에게 수다를 떠는 일은 중요하다. 늘 아이에게 말을 걸었지만 이번엔 달랐다. 그전에는 그저 넋두리와 함께 혼잣말만 중얼댔다면 이번엔 '이야기'였다.

나는 내 이야기가 아닌, 아이에게 맞는 이야기를 들려주었다. 아이가 알아듣건 못 알아듣건 상관하지 않았다. 전래동화나 명작은 내가 기억나는 대로 이야기로 들려줄 수 있었다.

중고서점에서 책을 고를 때는 되도록 창작동화를 구입했다. 내가 알지 못 하는 이야기가 아이에게 필요했다. 살림이 나아지고 책을 구입할 수 있게 된 이후에도 내 수다는 멈추지 않았다. 이번엔 엄마표 역사이야기를 만들었다.

사람은 책을 읽어야 한다는 것이 내 가치관 중 하나다. 내가 어릴 적 여러 번 삶을 포기하고 싶었을 때, 힘들었을 때, 가출을 생각했을 때, 내 사춘기와 반항기를 잡아 준 게 바로 책이었기 때문이다. 나중에 아이에게 어려운 일이 생겨도 책과 함께 자라난 아이는 흔들림이 없을 거라 확신했다.

아이가 유년을 보낸 집들은 공통점이 있었다. 옥상이 있었다는 점이다. 날이 좋은 땐, 아이와 함께 옥상에 올라가 빨래를 널었다. '이야기'를 만들어 주는 일만큼 효과 있는 활동은 일상에서의 이야기다. 나는 아이에게 쉼없이 말을 걸었고, 함께 했다.

"엄마가 빨래를 요기 줄에 하나씩 걸쳐서 널고 집게로 고정시킬 거야. 엄마 좀 도와줘."

"어떻게 하는데?"

"먼저, 빨래를 널기 전에 탁탁 털어야해. 호영이는 빨래를 잡고 탈탈 털어서 엄마를 주는 거야. 큰 건 너무 무거우니까 작은 걸 해주면 돼. 그리고 엄마가 널기 전에 집게를 하나씩 집어서 줘. 할 수 있지?"

"응. 할 수 있지."

아이는 엄마를 돕는 일에 즐거움을 느꼈다. 빨래를 털 때 차갑게 느껴지는 물기를 느끼기도 했고, 집게를 건네주면서 빨래와 어울리는 색을 고르기도 했다.

"아빠 바지는 초록이니까 집게는 초록 하나 노랑 하나 할 거야."

아이는 집게를 건네주면서 자연스럽게 색 이름을 외웠다. 모르는 색이 나오면 자연에 있는 물건으로 색의 이름을 지어주곤 했다. 나는 의도적으로 색이 다양한 빨래집게를 구입했다.

아이는 황토색과 고동색 계열을 어려워했다.

"우와. 이번 집게는 똥색이다. 아니, 흙색인가?"라고 말했다.

생각해보면 황토색은 단 한 번도 제 이름대로 불리지 못했다.

"오! 진짜 똥색 같기도 하고 흙색 같기도 하네. 우린 뭐라고 할까?"

"난 똥색. 똥색이란 말이 재미있어."

"그럼 이건 무슨 똥인데. 어떤 똥색이 이렇게 생겼나?"

"이건 내가 아침에 변기에 쌌던 똥이야. 그러니까 이름은 '변기똥색'이야."

"그렇구나. 변기똥색. 이름이 좋네."

아이의 상상력은 무조건 칭찬했다. 아이는 색의 이름을 알고 있으면서도 일부러 다르게 말했다. '장미색', '소나무색', '아빠 손바닥 색', '엄마 얼굴 색' 자기만의 이름을 붙였다.

빨래를 다 널고 난 후에도 이야기를 계속 이어나갔다.

"우와. 빨래 좀 봐. 막 흔들린다. 왜 이렇게 흔들릴까?"

"누가 줄을 잡고 흔드는 거 아니야? 엄마! 엄마가 혹시 나 몰래 줄을 흔든 거 아니야?"

"아냐. 엄마 두 손 여기 있는데 어떻게 줄을 흔들어?"

"음… 그런데 어떻게 흔들리지?"

"신기하지? 줄을 흔드는 건 바람이야."

"바람? 그래? 바람은 어디 있어?"

"바람은 어디에나 있지. 지금 머리카락이 흩날리고 빨래가 흔들거리게 만드는 건 바람이야. 자, 눈 감고 팔 벌리고 서 있어 봐."

아이는 내 말대로 눈을 감고 양팔을 벌렸다.

"엄마. 근데 이상해. 바람은 없고 얼굴이 간지러워."

"그렇지? 호영이 얼굴을 만지듯이 지나가는 게 바로 바람이야."

"우와! 그럼 지금 바람이 나를 만져준 거야?"

바람을 설명하는 건 입말로는 부족하다. 보이지 않는 것에도 이름이 있다는 걸 알려주는 건 꽤 어렵다. 나는 보이지 않는 것도 어떻게든 느끼게 만들어 주고 싶었다.

아이는 옥상에서 바람을 알게 됐다. 눈을 감고 얼굴이 간지러워지는 걸 바람놀이라고 했고 옥상에 올라갈 때 마다 바람놀이를 했다.

"흔들흔들. 우리도 빨래처럼 흔들흔들 해보자."

우리는 옥상에서 빨래를 널다말고 춤을 추기도 했다. 나중에 주인집에게 들은 이야기지만, 동네 아줌마들이 나를 이상한 여자라고 수군거렸다고 한다.

아이에게 눈이 보이지 않는 것들에 대해 설명할 게 많았다.

"오늘은 눈을 감고 해를 느껴보자."

"따뜻해. 엄마, 기분이 완전 좋아!"

자연을 손과 얼굴 그리고 마음으로 느끼게 해 주었다.

둘째가 어릴 땐, 아파트로 이사한 후였다. 아파트 앞 놀이터는 옥상을 대신해 준 장소였다.

자연을 이야기하다 보면 과학적인 사실까지 확대가 됐다.

"공기가 움직이는 게 바람이야. 우리가 살 수 있게 도와주는 공기는 산소라는 이름을 갖고 있어. 그리고 나무가 사는데 도와주는 공기도 있는데 그 친구 이름은 이산화탄소야. 우리는 나무랑 함께 살고 있으니까 산소도 중요하고 이산화탄소도 중요해."

"산소는 좋은 친구구나!"

과학적 사실을 어렵게 설명하지 않고 스토리를 만들었다. 아이가 어렵다고 느끼는 순간부터는 재미있는 놀이는 사라진다.

"엄마가 공기를 모아서 선물로 줄까?"

"와! 엄마는 공기도 잡을 수 있어? 그럼 빨리 줘."

풍선에 입을 대고 후후 바람을 넣었다. 그리고 통통한 풍선 속에 공기가 들어있다고 말했다.

"이거 봐. 엄마가 모은 공기야. 대단하지?"

"이건 그냥 풍선을 불어서 커진 거잖아. 공기는 하나도 안보여. 풍선에 없어."

"그럼, 풍선 속에 공기가 있었다는 걸 보여줄까?"

풍선 입구를 잡고 있던 손을 아이의 얼굴에 대고 놓았다. 풍선 안에 있던 공기가 푸우하고 쏟아졌다. 아이가 바람에 깜짝 놀랐다.

"이제 공기를 모았다는 말 믿지?"

이렇게 아이의 호기심을 자극해주고 나면 아이는 한 번 더 해보자고 난리다. 두 번째 보여줄 때는 아이의 얼굴에 대지 않고 풍선을 공중에 띄웠다.

풍선은 마치 바람 부는 날 낙엽처럼 제멋대로 날아다니다 땅으로 떨어졌다. 아이에게 자유롭게 요기조기 왔다 갔다 하며 바람이 빠지는 모습을 관찰하도록 했다. 아이는 풍선 뒤를 손을 뻗고 쫓고는 했다.

아이는 틈만 나면 아무 데서나 풍선을 불고 바람을 뺐다. 눈에 보이지 않는 것에 대한 호기심을 키워나갔다.

"바람도 불고 햇살도 좋다. 햇살 좀 봐봐. 눈을 뜨고 보면 눈이 아야 하니까 눈을 감고 하늘을 봐. 따뜻해서 기분도 좋아져."

아이와 바깥에서 여러 활동을 했다. 자연스럽게 이야기를 들려주었다. 아이는 엄마와의 놀이, 엄마가 들려주는 이야기를 좋아했다. 자연스럽게 과학을 이해했고, 무엇보다 놀이 시간을 무척 즐거워했다.

어려운 책이나 학습지를 통해야 정답을 알 수 있는 건 아니다. 일상생활 속에서도 충분하다. 자연스럽게 아이에게 많은 것들을 보여주고 들려줄 수 있다. 아이들은 학습지 안의 따분한 설명이 아닌, 엄마의 목소리로 세상을 배워야 한다.

엄마의 목소리로 배운 세상은 쉽게 잊히지 않는다. 무엇보다 엄마라는 존재와 아이 사이가 깊어진다.

아이를 키우는 건 엄마라는 존재, 엄마의 이야기라는 걸 늘 기억해야 한다.

🌧 스토리텔링으로
표현력 키우기

'어디어디에 가면 물건 값이 100원 더 싸다.'

싸다는 말만 들어도 나는 아이를 들쳐 업고 길을 나섰다. 버스 정류장 2, 3개 거리도 마다않고 걸어가 물건을 샀다. 그렇게 100원씩 모아진 천 원, 만 원은 아이의 중고 도서를 살 돈이 되었다.

동네에 '어린이 무지개 중고도서 전문점'이 있었다. 단골 서점이었다. 나는 아이를 위한 책을 한 권 한 권 사 모았다. 그곳에서 산 〈곰 잡으러 간단다〉는 20년 된 우리 집 골동품이다. 아이와 내 손때가 묻은 책을 쉽게 버리거나 되팔지 못했다.

IMF가 터졌다. 건축 일을 하는 남편은 원자재 가격상승으로 가장 먼저 타격을 받았다. 월급은 반으로 깎이고, 일했던 곳에서 돈을 한 푼도 받지 못하는 상황이 됐다. 그러자 책 한 권 사기도 어려워졌다.

한 권씩 사주던 책도 여의치 않게 되면서 책을 대신할 '꺼리'가 필요했다. 늘 하던 '이야기로 생각 키우기'가 부족해졌다. 구체적으로 확장 할 수 있는 방법을 생각했다. 나는 생생하게 살아있는 '표현력 있는 스토리'를 만들어 보기로 했다.

유명한 아동작가 중에는 자신의 아이를 위해 책을 쓰기 시작했다고 하니, 당시에 그 흉내를 낸 거나 마찬가지였다. 나는 글, 문자가 아닌 '입'으로 아이를 위한 동화책을 만들었다.

'표현력을 키우는 스토리텔링' 기법은 이때부터 사용한 자녀 교육법 중 하나다.

스토리를 만들다보니 아이의 표현이나 관찰력을 키워주는 건 물론이고 내 말솜씨도 예쁘게 다져지는 일석이조 효과가 있었다. 여기서 말하는 스토리는 앞에서 말한 이야기 말하기와는 다르다.

가장 많이 했던 방법 중 하나는 아이를 데리고 시장으로 구경 다니는 일이었다. 나가기 전 집에서 준비하는 모습, 시장으로 오고 가는 길의 모습, 시장에서 보게 되는 많은 것들. 그 자체가 아이에게는 교육이었고, 엄마와의 자연스러운 대화가 오고가는 장소가 되었다.

"엄마랑 오늘 시장에 가자."

아이는 시장이라는 말만 나와도 "시장에 가면 아줌마도 있고, 김도 있고, 어묵도 있고⋯⋯." 이런 노래를 부르며 옷을 고르기 시작했다.

"오늘은 어떤 옷을 입을까? 오늘은 날씨가 맑으니까 하얀색 치마를 입을까?"

"오늘은 경사진 길로 갈까? 아니면 계단으로 갈까?"

아무 것도 아닌 것부터 하나하나 질문을 했고, 선택을 하게 했다.

"계단이 좋아. 계단은 숫자를 셀 수 있어."

"좋아. 오늘은 계단으로 가자."라며 아이가 선택한 길로 나섰다.

주택 골목길 계단은 좁고 가파르게 되어있어 위험했다. 맘 같아서는 다니고 싶지 않은 길 중 하나였다. 하지만 계단 길을 다닐 땐, 힘들다며 업어달라고 한 적이 없었다. 계단을 오가면서 숫자를 알려줬기 때문인지 노래하듯 즐겁게 다녔다.

"하나, 일, 원(one)" 하면서 한 번에 3단어를 알려줬다.

"하나랑 일이랑 원(one)이랑 친구지? 그래서 다 또까또까지?"

"응. 다 친구라서 같은 말이야. 똑같은 말."

"그리고 둘, 이, 투(two)도 친구가 되었지. 다 또까또까야. 또까또까!"

사물이나 사람은 이름을 하나씩 가지고 있고, 이름이 중요하다는 걸 알려줬다. 여러 이름으로 불리기도 한다는 걸 알려주기도 했다. 아이는 자연스럽게 이름의 중요성을 배웠고 집중해서 외우려고 했다. 나중에는 알아서 이름을 연결시켜 외웠다.

'자녀 어휘교육법'의 하나라고 볼 수 있다. 김춘추의 시 〈꽃〉의 한 구절과 같은 맥락이다.

'내가 너의 이름을 불러 주었을 때 너는 나에게로 와서 꽃이 되었다.'

'단어가 갖고 있는 고유 이름을 알려주기. 이름 하나하나는 사물과 같은 것임을 인지시켜주어 소중하게 여기게 하기.' 이걸 알려주고자 했다.

아이가 이름을 통해 사람과 사물, 그리고 자연을 인지하기 시작하면 관찰을 하게 되고 기억하게 된다.

시중에 영 유아 도서로 '사물 인지책', '사물 그림책' 등이 많이 나오는 이유도 이름을 통한 어휘 공부가 그 첫 번째이기 때문이다. 단어를 인지한 다음으로 관계를 위한 기대효과를 볼 수 있다. 자신 주변을 인지하고 어떤 관계로 엮여 있는지 이해한다.

아이와 시장에 가는 길에도 대화는 계속됐다.

"방금 무슨 소리지?"

"뼹뼹 소리!"

"호영이는 뼹뼹 소리처럼 들리는 구나. 엄마는 빵빵 소리처럼 들리네."

"그럼 뿡뿡빵빵 소리네!"

"근데 이 소리는 어디서 나지?"

"저기 지나가는 거. 동그라미랑 네모랑 있는 거. 하얗고 빨갛고 까맣고!"

"그렇구나! 동그라미랑 네모랑 있구나. 저건 이름이 뭘까? 엄마가 우리 아가 업어 준 것처럼 네모를 업고 다니지?"

이름을 물어보고, 인지하기 쉽게 모양을 더 말했다.

"그러네. 업고 다니네. 동그라미는 힘들겠다."

아이는 종종 내 말을 따라하면서 다시 사물을 인지했다.

"뿡뿡빵빵 동그라미는 힘이 들어요. 이름이 뭐야?"

그리고 사물의 이름을 되물었다.

"자동차야. 동그라미가 힘든 자동차네."

그저 사물의 이름이 아닌, 앞에서 말했던 모양을 더 늘려줬다.

"자동차? 자동차구나. 엄마, 근데요. 동그라미 안 힘들어요. 동그라미는 동글동글 데굴데굴하니까 안 힘들어요."

아이들의 상상력과 인지력은 우리가 생각한 것 이상이다. 동그라미라는 모양으로 바로 구르는 걸 떠올렸다.

"그렇구나. 데굴데굴하니까 안 힘들구나. 시장에 다 왔다."

"시장이다."

시장에 가는 시간이 지루할리 없었다.

"우와. 오늘 시장에도 과일이 많이 나왔다. 저기 빨간색 바구니에 노란 참외가 5개 담겨있네. 노란 참외가 5개에 2,000원이라고 써 있다."

"하나, 둘, 다섯, 일, 이, 삼, 사, 오, 원, 투……"

사이사이 이가 빠진 유치원 아이의 치아처럼 중간 중간 숫자를 빼먹고 헤아린다. 정확하지 않지만 끝까지 바구니 참외 숫자를 세고 있다. 시장 아줌마들은 아이가 귀엽다며 맛보기 과일을 주시기도 한다.

"노란 참외네. 냄새도 참 달다. 참외 옆에 파란색 바구니에는 다른 과일이 있네. 저게 뭘까? 저건 토마토야."

그러면서 〈멋쟁이 토마토〉라는 노래를 함께 부른다.

울퉁불퉁 멋진 몸매에

빠알간 옷을 입고

새콤달콤 향내 풍기는

멋쟁이 토마토 (토마토)

나는야 주스 될 거야 (꿀꺽!)

나는야 케첩 될 거야(찍~!)

나는야 춤을 출거야(헤이!)

뽐내는 토마토(토마토)

계절을 따지지 않고 아이를 데리고 시장에 갔다. 단어부터 이야기, 노래까지 알려줄 수 있는 중요한 교육 장소였다.

가을이었다. 아이는 밤과 도토리를 구분하지 못했다. 아마 다람쥐 친구가 좋아하는 열매로 같은 거라 인지한 모양이었다.

시장에서 바구니 가득 밤을 보고는 아직 정확하게 외우지 못한 〈도토리〉 노래 일부인 "떼굴 떼굴 떼굴 떼굴 도토리가 어디서 왔나."를 반복해서 불렀다. "이건 도토리가 아니야."라고 말해도 소용없었다. 아이는 똑같은 거라고 우겼다.

아주 작은 차이다. 도토리와 밤을 당장 구별하지 못한다 해도 상관없었다. 하지만 도토리를 알려 주고 싶었다. 당시 자연관찰 책은 한 권도 없었다. 시장에서 밤을 알려주긴 했으니, 직접 도토리를 보여주고 싶었다. 아이들에게 말로 다르다고 설명하는 것보다 직접 보여주고 다르다는 걸 확인시켜주는 게 빠르기 때문이다.

친정 엄마는 도토리를 주워, 집에서 직접 묵을 만들어 드셨다. 때마침 도토리를 주우러 산을 간다고 했다. 나는 아이를 데리고 같이 나섰다. 아이에게 도토리뿐만 아니라 도토리가 묵으로 완성되는 모습도 보여주고, 집에 올 때 도토리 다섯 알을 얻어왔다.

온종일 〈도토리〉 노래를 흥얼거리는 아이에게 도토리를 눈앞에 펼쳐줬다. 그리고 작은 도토리로 공기놀이하는 걸 알려줬다. 아이는 이불 위에서 내내 도토리 공기놀이를 했다.

아이가 한 살 더 먹은 후에는 산에서 도토리를 욕심대로 많이 주워오면 안 된다고 설명했다. 산에 아이를 데려가 도토리를 주우며, 나무 위에 있는 자연 속 친구들을 보여주었다. 도토리를 먹고 사는 청설모나 다람쥐 친구들을 위해 남겨 둬야 한다고 알려주고, 자연에서 자라게 될 도토리 씨앗 역할을 설명했다. 시간이 조금 더 지난 후에는 도토리나 상수리나무, 다람쥐를 책으로 찾아 읽게 만들었다.

엄마의 입말은 중요하다. 아이의 상상력을 자극하고 이해까지 돕는 건 엄마의 말이다. 덧붙여서 글을 통한 이해까지 나아간다면, 아이의 머릿속에서 모든 게 더 명확해진다. 엄마의 쉬운 말과 교과서의 정확한 이야기는 공존해야 한다.

웅진출판사에서 나온 어린이 과학도서 〈신갈나무 숲〉과 안도현 작가의 〈관계〉를 보여줬다. 작은 씨앗에서 커다란 숲이 생긴다는 놀라운 자연의 힘과 그걸 지키기 위해 사람들이 해야 할 일을 스스로 깨닫게 했다. 나중에는 주제를 넓혀 작가 장 지오노의 〈나무를 심은 사람〉이란 책을 읽혀주고 동영상을 보여줬다.

이 교육법은 아이의 표현력을 키워주고 더불어 관찰력을 길러준다. 더 나아가 관계가 얼마나 중요한지 깨달을 수 있게 된다. 남들처럼 거창한 교육 프로그램과 다양한 책을 갖고 있지 못했어도 이 교육법을 통해 "무에서 유를 창조하는 교육"을 해냈다고 자부한다.

☁ 말과 글로
생각에 옷을 입혀라

'소크라테스 대화법'은 산파술이라고도 불린다. 질문을 통해 상대방 스스로 생각하게 만든다. 사고를 유도해내고, 진리도 스스로 발견해내게끔 하는 방법이다. 아이가 엄마의 산도를 통해 나와 세상을 만나는 것으로 비유된 말이다.

산파술은 일정한 주제나 동일한 문제의식에 대해 공동으로 합리적인 사유와 검증을 통해서 합의점에 도달하거나 문제점의 해결 방식을 찾아가도록 하는 방법이라고 한다. 철학을 전공한 사람이 아니니 쉽게 이해하기 어려웠다.

그럼에도 '소크라테스 대화법'을 추천하는 이유는 아이들이 스스로 답을 도출해가도록 하는 과정에서 오는 즐거움이 있기 때문이다.

사고를 유도하기 위해 중요한 건 경험에서의 출발이다. 경험을 통해서 근거를 제시하고 근거에 맞게 다양한 의견을 내게 되어 있다. 이는 조선 후기 실학자 정약용이 주장하던 교육법과도 비슷하다.

아이가 나에게 질문을 할 때, 왜 질문을 하는지부터 생각했다. 아이의 질문은 세상을 보는 눈이다. 아이가 요즘 어떤 일에 관심을 갖는지, 어떤 시각으로 주변을 보는지 알 수 있다.

아이는 다양하게 질문을 하지만, 나는 아이의 질문을 독점할 수 없다. 독점할 수 없는 질문이란, 내가 그 어떤 해답도 쉽게 해선 안 된다는 말이다. 아이들 스스로 답을 찾아가도록 유도해야 한다.

내가 아이에게 질문을 할 때도 마찬가지다. 내 안에 답을 정해 놓고 질문을 하는 경우가 종종 있는데 그건 피해야 한다. 정답은 아이의 몫이지, 내 몫이 아니다.

이 대화법을 염두에 두면 창의적이고 흥미로운 답이 많이 나온다. 내가 질문하는 엄마가 되기로 결심한 이유다.

아이에게 끊임없이 질문을 했다. 정답은 없었다. 아니, 나조차도 답 모르는 질문을 했다. 답이라는 걸 정하지 않겠다고 속으로 다짐해도, 내 안에 정답이라고 생각하는 걸 떠올리기 일쑤였다.

대부분하는 시행착오다. 하지만 시도 때도 없이 질문이란 걸 만들다보면 정답이라는 건 내 안에서 사라진다.

질문하기는 나의 주특기가 되었다. 하루를 돌이켜보면 많은 질문을 했다. 가끔 엄마들이 묻는다. "어떤 게 아이에게 도움이 되는 중요한 질문이죠?" 필요한 이야기와 그렇지 않은 이야기를 나눈다면 그 기준이 명확할까? 이런 생각 자체가 의미 없는 일이다.

말과 글은 생각을 표현하는 수단이다. 머리에 있는 추상적인 것들, 몸으로 경험한 현상적인 것들, 마음에서 일어나는 감정적인 것들이 꿈틀대기 마련이다. 그 감각을 공감하고 싶어서 안달하는 게 바로 말이고 글이다.

말과 글은 나를 표현하고 싶어 하는 일이다. 나를 바라봐 달라고 떼쓰는 일이고, 나의 소리에 귀 기울여 달라는 일이다. 스스로 나의 감정을 알고 싶어 하게 된다.

대개 독서량이 풍부하고 대화가 많은 아이일수록 자신을 정확히 이해하고 표현한다.

어휘 사용량이 다르기 때문이다. 어휘를 많이 안다는 것은 세상을 품는 깊이가 깊고 세상을 내다보는 시선이 넓다는 걸 의미한다. 어휘를 이용하여 문장을 만들면 그 단어와 문장은 온전히 '아이의 것'이 된다.

자신만의 표현에 누군가가 공감해주고 대답해주고 논리적인 답을 유도하는 사고 확장적 질문을 한다면 그 문장은 완벽한 '아이의 세계'가 된다.

아이와 함께 〈선녀와 나무꾼〉을 읽은 적이 있다. 그런데 책을 다 읽고 난 후 아이가 생각에 잠겼다.

"왜?"

아이가 생각을 하고 있다면 확장시켜주고 정답을 찾도록 도와야 한다. 구체적인 질문이 아닐지라도 괜찮다. 작은 질문이라도 무조건 던져야 한다.

"무슨 내용이 이래? 좀 이해가 안 돼."

"내용이 어려워? 이해하기 어려워?"

아이가 정말 궁금해 하는 게 무엇인지 천천히 알아가야 한다.

"내용이 어려운 게 아니고 이상해서…"

"이상해? 뭐가 이상한데?"

"엄마. 선녀는 아이를 낳고 살았으면서 왜 남편을 버리고 하늘로 갔을까? 선녀가 나쁜 사람인가?"

"글쎄. 나쁜 사람이었을까? 다른 이유가 있었던 건 아닐까?"

"남편 엄마도 잘 해줬잖아… 혹시 남편을 안 사랑했나?"

아이는 사랑에 대한 질문까지 했다.

"그래? 남편을 안 사랑했을 수도 있구나. 엄마도 아빠가 싫어지면 떠나도 되나?"

"안 되지. 아빠가 싫어도 엄마는 좋은 딸이 있으니까 여기 남아야지. 음. 그럼 남편 때문이 아닌가. 음…"

아이는 혼자 이유를 생각했다.

"앗! 선녀도 엄마, 아빠가 보고 싶었나보다."

"그렇구나. 부모님도 보고 싶고 집도 가고 싶어서 그랬나봐."

"맞아. 나도 집이 정말 좋거든. 집 떠나고 오래 살아서 그랬나봐. 집에 가서 엄마, 아빠 보고 싶었구나. 근데 왜 사슴은 아이를 셋 낳을 때까지 선녀 옷을 주지 말라고 했을까?"

"셋 낳기 전에 주면 하늘로 간다고 주지 말라고 한 거 아니야?"

내가 생각하는 말을 정답처럼 일러주지 말고, 내 생각일 뿐이라는 걸 드러내야 한다.

"그니까. 책 내용에서 왜 꼭 3명이라고 했을까? 3명이면 무거워서 못 올라가나?"

아이의 호기심은 한 부분으로 끝나지 않는다.

"그러게. 호영이 말대로 무거웠나? 엄마는 아이 안 데리고 가도 무거워서 못 올라 갈 텐데."

"히히. 무거운 선녀도 있어? 근데 엄마. 남편 버리고 간 선녀가 여기서는 가장 나쁜 사람일까?"

아이는 궁금한 일에 대해서 하나하나 질문한다.

"글쎄. 선녀 입장에서 보면 목욕하러 왔다가 갑자기 옷을 도둑맞았으니 억울한 사람 아닌가?"

다른 방향에 대해서도 질문을 주는 것도 좋다.

"그래? 엄마… 그럼 나무꾼이 도둑질 했으니까 가장 나쁜 사람인가?"

"그런데 나무꾼은 사슴을 살려 준 대가로 얻은 복인데 나무꾼에게 나쁘다고 할 수 있을까?"

아이의 질문은 끊임없다. 질문에서 지쳐버리면 안 된다. 무조건 아이의 시선을 받아주고, 다른 질문까지 이어져야 한다.

"복? 그래도 도둑질을 한 건 나쁜 거잖아. 나무꾼은 나쁜 사람이야. 그런데 생각해보면 사슴이 나무꾼을 도둑 되도록 만들었어. 그럼 이 책에서 제일 나쁜 게 아닐까?"

"그럴 수도 있네. 사슴이 나쁘네. 착한 나무꾼에게 도둑질하는 법을 알려줬으니까. 근데 사슴은 자신을 살려준 고마운 마음에 나무꾼을 도와준 것 같은데? 진심으로 한 행동도 나쁜 걸까?"

"진심이니까 더 나빠. 진심이라면 예쁜 방법을 알려줘야지. 사슴이 나쁘네. 아니다. 사슴을 죽이려고 한 사냥꾼이 나쁜 게 분명해."

각 인물들에 대한 생각이 드러나도록 유도하는 방법도 필요하다. 질문과 답을 이어나갈수록 아이는 자연스럽게 모든 인물에 대해 말한다.

"뭐야? 사냥꾼?"

"살아있는 친구를 죽이려고 했어. 그래서 사슴이 나무꾼에게 나

뻔 걸 알려줬잖아. 나무꾼이 도둑이 됐고, 선녀는 집에도 못 가서 슬프고… 그럼 사냥꾼이 제일 나빠."

"사냥꾼은 직업이잖아. 사냥하는 거 나쁘다고 하면 사냥꾼은 어떻게 살지?"

아이 눈이 동그랗게 커진다.

"엄마! 뭐야, 이 책? 이 책은 다 나쁜 사람만 있는 책이야! 할머니만 빼고. 아니야. 할머니도 아들 생각한 건 착한데, 할머니 때문에 아들이 부인이랑 못 사니까 할머니도 밉네. 이 책 정말 이상한 책이야."

"그러네. 정말 이상한 책이다. 그래서 슬퍼?"

"어. 슬퍼. 이상하고 나쁜 사람도 많고. 그래서 여기 나오는 사람들 다 슬퍼졌잖아. 아니다, 엄마. 애들은 안 슬퍼. 애들은 가난하게 산 속에서 살 뻔 했는데 엄마가 아주 좋은 하늘 세상으로 데리고 갔으니까. 애들만 완전 좋아졌어."

"그러네. 애들만 완전 좋네. 딸도 이렇게 부자네로 가고 싶은 거야?"

"부자네로 가면 좋지. 근데 엄마가 부자가 아니니까 그냥 가난해도 엄마 있는 여기가 좋아."

아이와 책을 읽고 나눈 대화다. 우리 아이만 상상력이 많은 건 아니다. 모든 아이들도 궁금해 하는 부분이 있다. 다만 그걸 더 다양화 시키는 건 엄마의 역할이다. 이런 질문이 결국 인문학적 사고를 키운다.

어렸을 적부터 전래동화는 입으로 많이 알려줬다. 나중에는 중고로라도 구입해 읽혔다. 전래동화는 답이 훤히 나와 있다. 대부분이 교육적인 결론이다. 그러나 아이와 읽을 때는 최대한 '착하게 살아라.', '부지런히 살아라.', '나쁘면 벌 받는다.'라는 빤한 답을 배제해야 한다.

눈에 보이는 답변은 내가 아닌 다른 사람들도 해줄 수 있고, 자칫 잘못하면 선입견이나 사회적 규범이 만든 사고의 틀을 답습한다. 책 뒤에 쓰인 감상문만 하더라도 답변은 늘 한결같다.

아이가 고학년이 되어 이 책에 대해 다시 이야기를 나눴는데 그때 또 달랐다.

아이는 '다양한 가정'으로 해석했다.

선녀는 산 속에서 이방인이고, 나무꾼은 하늘나라에서 이방인이다. 선녀가 아이를 데리고 더 살기 좋은 곳으로 떠나서 나무꾼은 '기러기 아빠'가 되었다. 시대가 변했지만 시어머니와 며느리는 엄마와 딸의 관계가 되지 못하고, 시어머니는 결국 아들이 며느리에게 가는 것을 수긍하지 못해 '홀어머니를 모신 외아들'의 어려운 결혼에 대해 시사 하는 이야기라고 말했다.

처음 나눴던 주인공의 성격에 대한 이야기와는 많이 다르다. 단순한 생각을 넘어선 이야기였다. 아이들은 신기하다. 스스로 세상 보는 눈을 키워나간다.

큰딸이 고등학교 1학년이던 해였다. 드라마 〈49일〉이 방영되었다.

고등학교에 입학한 지 얼마 되지 않았다. 텔레비전보다는 책과 학업에 집중하길 바라는 마음이 컸다. 그러나 딸은 여고생답게 드라마에 빠져있었다. 드라마 보지 말고 공부하란 말이 쉽게 나오지 않았다. 내 말을 듣고 공부하러 방에 들어간다 해도 공부의 집중도가 낮을 게 분명했기 때문이다.

나는 함께 드라마를 보기 시작했다. 대신 드라마를 보면서 질문을 했다. 어렸을 때처럼 말이다.

"근데 왜 제목이 49일이야?"

"주인공이 49일 안에 자신을 진심으로 사랑하는 세 사람의 눈물 한 방울씩을 얻으면 살아나는 이야기야. 그래서 그렇게 지은 건가봐."

"근데 왜 하필 49일 이래? 50일도 아니고."

아이는 드라마가 끝나자 49란 숫자에 대해 알아보기 시작했다. 내가 원한 건 완벽한 답이 아니었다. 어떤 일이든 궁금해 하고 스스로 찾으려 한 행동 자체로 만족했다. 물론 아이가 궁금해 하고 원하는 답을 찾지 못할 땐 나름 내 생각을 말해 주기도 한다.

"엄마가 알기로 불교에서는 사람이 죽으면 그 사람의 혼이 어딘가로 선택되어져서 간대. 그 사람의 생이 좋을수록 일찍 뽑혀서 가는 거지. 보통 그렇게 첫 번째 7일 부터 선택이 되는데 마지막 일곱 번째주인 49일까지도 선택을 못 받으면 아무 데도 못가고 귀신처럼 떠돈다네. 아니면 지옥 같은 곳에 간대. 그래서 산 사람이 더 좋은 곳으로 구원받아 가도록 빌어주는 마지막 날이라고 해. 예전엔 백중날이란 세시풍속이 다른 명절보다 큰 명절로 여겨졌대. 어느 스님의 어머님이 살아계실 때 나쁜 일을 많이 했대. 돌아가셔서 구원을 받지 못하고 구천을 떠돌고 있으니까 아들이 안타까워서 기도를 하고 밥을 지어 올렸대. 근데 죄가 커서 옥황상제는 아들이 올린 밥도 못 먹게 했어. 아들은 기도를 열심히 드리며 부탁했나봐. 결국 어머님께 밥을 먹을 수 있게 하는 대신 스님의 어머님처럼 구천을 떠도는 다른 불쌍한 악귀들을 위해서도 밥을 올리게 했대. 그게 49일이래. 예전에 세시풍속에 대한 책을 읽다가 알게 된 거야. 물론 다른 이유가 있을 수도 있겠지? 찾아보고 다른 내용 있으면 나도 좀 알려줘. 알았지?"

이런 이야기를 해주면 아이는 불교문화와 세시풍속에 대해 스스로 찾아보게 된다. 가끔 이런 대화법을 알려주면 엄마들은 "뭘 알아야 이런 질문도 하고 대답을 하는 게 아닌가요?"라고 한다.

내가 처음부터 많은 걸 알아서 하는 질문은 아니다. 나도 열심히 찾아서 어떤 질문을 할지 고민한다. 엄마도 공부를 해야 한다. 미리 알고 있었다면 좋지만, 몰랐다면 아이들처럼 직접 찾아서 봐야 한다. 그리고 답을 알고 있다 해도 아이가 물었을 때 답을 그대로 전달해서는 안 된다. 그보다 효과 있는 방법은 '함께 찾아보자'고 말하는 것이다.

답에 근접하도록 돌아가는 다른 질문을 끊임없이 만들어야 한다. 물론 위에서처럼 답이 없는 질문을 해야 하기도 한다. 중요한 건 질문이다. 결코 답은 중요한 게 아니란 걸 많은 엄마들이 간과하고 있다.

다음 날 드라마를 보면서 또 질문을 했다.

"엄마는 아무래도 49일 안에 못 살아나겠다."

"왜?"

"엄마를 위해 진심으로 눈물 흘려 줄 사람이 아무리 생각해도 3명이 안 될 것 같아."

"잠깐만. 나랑 진이랑 아빠. 이렇게 3명은 안 되나? 아. 안 되는 구나. 가족은 빼야지."

"그니까. 엄마는 죽겠다."

"아냐. 잘 찾아보자. 있을 거야."

"그럼 넌? 넌 있는 거 같아?"

이게 나의 두 번째 질문이었다. 물론 이 질문도 답을 원하는 게 아니었다. 친구관계를 돌아보고 자신을 생각해 보게 하는 질문이었다. 그날 저녁 내내 아이는 자신의 친구들에 대해 생각하더니 친구관계가 좀 더 진지해야 할 필요가 있다고 말했다.

그날 아이는 친구들에게 '넌 내가 죽으면 진심으로 나를 위해 울어줄 수 있을 것 같니?'라는 문자를 보냈다고 한다. '물론이지' 답을 많이 받았다고 좋아했다. 이날 나도 다행히 살 수도 있는 길이 생겼다. 딸 친구 중에 '너희 엄마를 위해서도 울어 줄 수 있어'라는 아이가 2명이나 있었다.

수능을 앞두고 아이는 드라마 〈상속자들〉에 빠졌다. 솔직히 말하면, 속이 뒤집어지는 줄 알았다. 내일이 시험인데, 텔레비전을 보다니. 간이 배 밖으로 튀어나온 녀석이 내 딸이었다.

그래도 숨구멍은 필요하겠다 싶었다. 다시 대화를 나눴다.

이런 경우는 평소 내가 가지고 있던 생각이 그대로 질문이 되기도 하고, 궁금해 하는 걸 묻기도 한다. 아까처럼 어떤 뜻을 찾아보길 기대하는 질문을 하지 않았다.

"딸, 근데 드라마에서는 왜 가난한 여주인공은 모든 남자들의 사랑을 받는 걸까?"

"맞아. 이상해. 여주인공들 보면 매일 사고치고 다니고 꿋꿋한 척하면서 남자 앞에서 힘들다고 울어대. 남에게 신세는 절대지지 않는다고 하면서 꼭 남자 주인공 도움을 받거나, 도와달라고 해. 성격이 이상한 것 같아. 근데 엄마 여주인공들은 잘 보면 디즈니 시리즈의 공주들하고 성격이 좀 비슷해. 그래도 난 여주인공들이 어떻게 사랑을 받는지 그 이유를 알지."

"어? 이유를 알아?"

"어. 이유는 단 하나야. 예뻐서야. 남자들은 예쁘면 그냥 다 좋아해줘."

"아하! 그렇구나. 좀 슬프네."

"엄마 정말 슬프다. 난 어떻게 하지? 이제 주민등록증도 나왔는데 남자도 한 번 못 사귀고… 예쁜 여자들만 좋아하는 남자들 때문에 난 평생 혼자 살아야 될지도 몰라. 설마 연애도 못하는 거 아닐까. 오늘은 이 드라마가 날 슬프게 하네."

질문을 어렵게 해서 답변을 받는 것만이 정답이 아니다. 가끔은 이런 숨통 트이는 대화를 통해서 아이의 다른 생각을 엿볼 수 있다.

내가 자주 사용하고 가장 효과 높다고 생각하는 교육법은 '함께' 하는 일이다.

'자녀에게 하는 작은 질문 교육법'은 아이의 자기주도 학습법을 만들어낸 원천이었다. 답을 아무도 모른다는 가정에서 시작하고, 답은 스스로 찾아야 한다는 기본 규칙을 세워둔다. 질문이 또 다른 질문을 만들어 낸다는 원리는 아이가 스스로 찾고 생각하게 만드는 힘의 원천이 된다.

그리고 마지막 질문처럼 아이와 친해지는 대화도 꼭 필요하다는 걸 명심하자.

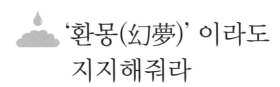 '환몽(幻夢)'이라도
지지해줘라

교육학자들이 말하는 '이야기의 중요성'이 있다. 이유는 가장 논리적이며 보편적인 이론을 알려주기 때문이다. 교육학자들의 이론은 아이를 기르면서 자신이 없을 때 확신을 주고 분명한 길을 알려주기도 한다.

하지만 실제로 아이를 키워본 사람들은 교육학자들의 이론을 듣고 비슷한 반응을 내비친다.

'웃기시네' 혹은 '뻥치시네'라는 말이 절로 나온다.

일반화의 오류다. 일반적인 아이들, 대개 그럴 할 것이라는 전제가 있다. 딱 잘라 말하자면, 공통점으로 만든 이론으로 아이를 키운다는 건 불가능하다.

아이들은 각각의 개별성이 있다. 교육학자들의 이론은 자칫 아이들의 개성과 각자의 능력을 부정하는 사고방식이 될 수 있다.

어떤 아이도 똑같은 아이는 없다. 어떤 교육법도 정답은 없다. 아이와 함께 답을 찾는 건 전적으로 부모의 역할이다. 아이와 함께 찾은 답이야말로 '내 아이에게 완벽한 정답'이다.

이 세상에 하나 뿐인 내 아이를 정확히 아는 사람은 부모여야 한다. 꼭 알아야 하는 부모이기 때문이다. 그래서 아이를 키우는 모든 엄마는 '만능 엔터테이너'가 된다. 전공을 하지 않았음에도 '교육 전문가'가 된다.

나는 종종 엄마들에게 물어본다.

"여러분이 생각하기에 교육에 답이 있나요?"

"아니요."

답은 언제나 같다.

이렇게 모든 사람들은 답이 없다는 '답'을 이미 알고 있다. 그러면서도 불안해한다. 늘 묻고 의심한다.

"우리아이는 다른 아이들에 비해 부족한 것 같아요."

"아이가 남들과 달라요."

"어떤 학원을 보내면 좋을까요?"

"책 좀 소개해 주세요."

대답해 줄 수 없는 똑같은 질문을 한다.

이런 질문을 듣고 있다 보면 비극적 현상이라는 말이 떠오른다.

교육학자들의 이론이 자본주의 시대를 만나 이루어진 새로운 시대적 비극이다. 비싼 학원이나 과외를 시키면 아이가 성공 할 거란 믿음을 갖게 하고, 유명한 책을 사다 읽히면 아이가 똑똑해 질 거란 생각을 심어준다.

이런 시대적 비극은 부모에게만 해당되지 않는다. 아이들의 대화를 듣고 있다 보면 '헉' 소리가 절로 난다.

"야. 너 이번에 기말시험 대비 문제집 몇 권 풀었어?"

"난 아직 안 샀는데. 너는?"

"아직도 안사면 어떡해. 난 세 권 풀고 오늘 엄마가 하나 더 사오기로 했어. 시험 전까지 다섯 권은 풀어야 해."

"정말? 난 그냥 한 권만 풀어. 가끔은 안 살 때도 있는데."

"야. 너 그렇게 공부 안 하면 거지 돼. 너 커서 거지처럼 살고 싶어?"

옆에서 듣다 보면 가슴이 답답해진다. 한 권을 푸는 것도 답이고, 다섯 권을 푸는 것도 답이고, 아예 사지 않는 것도 답이다. 각자의 답이 있지만 아이들은 모른다.

나는 아이가 중학교로 넘어갈 때까지 시험을 위한 문제집을 따로 구입해 본 적이 없었다. 다섯 권을 푼다는 말 자체가 이해되지 않았다. 그런데 그 말보다 더 충격적인 말은 공부 안하면 거지된다는 말이었다.

'도대체 누구에게 말을 들었기에 그런 생각이 이 아이에게 자리

잡은 것일까?'

아이 스스로 깨닫고 얻은 답이 아닌 부모의 말로 얻은 결론이다.

"너 이렇게 공부 안 하고 나중에 거지처럼 살 거야?"

분명 이런 식의 말을 듣지 않고선 아이의 생각으로 나올 수 없는 말이다.

교육에 답이 있다고 생각해보자. 아이들은 모두 기계처럼 같은 사고를 하고 비슷한 직업을 갖는다. 똑같은 인생을 살아야 한다.

이렇게 교육에 답이 있다면 우리의 인생은 얼마나 쉬울까? 정해진 답대로 정해진 순서대로 아이들을 이끌기만 하면 되니 말이다. 하지만 그만큼 재미없는 일도 없을 것이다.

교육에 답이 있다면 우린 힘들게 살 필요가 없다. 살면서 매일같이 듣게 되는 꿈이란 단어도 필요 없다. 이 쉽고도 재미없는 삶은 동물의 삶과 다르지 않게 된다.

이건 모든 엄마들도 알고 있다. 교육에 답이 있다는 건 사고가 사라진다는 말이다. 그럼에도 엄마들은 모두 같은 질문을 한다. 납득이 되지 않는다.

딸아이가 6살 때였다. 아이는 붕어빵에 빠져 있었다.

첫 번째 이유는 당시 아이가 팥을 좋아했기 때문이고, 두 번째 이유는 추운 겨울에 따뜻한 손난로 같은 역할을 해주는 묘미 때문이었다. 거기에 더 관심을 가지게 된 이유는 바로 붕어빵이 만들어지는 과정이었다.

물컹물컹한 밀가루 반죽과 검붉은 팥 반죽이 만나서 귀여운 캐릭터처럼 생긴 붕어빵이 '뿅' 하고 나오는 게 신기했던 모양이다. 거기에 입안에 퍼지는 고소함과 가슴을 타고 내려가는 따뜻한 온기에 아이는 정신을 차리지 못했다. 틈만 나면 붕어빵 먹을 기회를 노렸다.

한 번은 너무 먹고 싶어 하기에 '혼자 붕어빵을 사오기'라는 미션을 내렸다. 당시 나는 경제교육을 위한 방편으로 아이에게 혼자 장보기 심부름을 체험시키고 있던 중이었다.

생각보다 오랜 시간동안 돌아오지 않아 걱정을 하고 있던 차, 아이가 왔다.

"왜 이렇게 늦었어?"

"어. 구경하느라."

"뭘?"

"붕어빵을 사는 사람이 엄청 많더라고. 그래서 기다리면서 만드는 거 구경했지. 근데 엄마! 정말 대단한 아줌마가 나타난 거 같아."

"뭐가?"

"우리가 매일 사던 아저씨가 안 나와서 옆에 새로 생긴 아줌마한테 사온 건데, 이거 봐. 봉지에 구멍이 이렇게 뚫려있다. 신기하지?"

"어? 정말 구멍이 뚫려있네."

"이거 왜 그런지 알아?"

아이는 큰 깨달음을 알았다는 듯 계속 종알거렸다.

"내가 너무 신기해서 물어봤어. 붕어빵이 뜨겁잖아. 사람들이 사가지고 갈 때 날씨 때문에 식을까봐 봉지를 꼭 잡고 가져간대. 근데 뜨거운 붕어빵이 집에 가면 능글능글 다 붙어버려 있대. 엄마 기억나? 우리도 저번에 그랬잖아! 그러면 맛이 별로래. 그래서 아줌마가 공기가 통해서 서로 붙지 않게 만들었대. 바삭한 맛이 조금이라도 더 지속되라고 구멍을 뚫은 거래!"

"우와, 그 아줌마 굉장히 특별한 생각을 했구나. 멋있다."

"그치? 엄마. 나도 커서 특별한 붕어빵 아줌마가 될 거야."

좋아하는 붕어빵은 안중에도 없어 보였다. 붕어빵이 차갑게 식어갈 때까지 계속 봉투 이야기만 했다.

생활 속에서 많은걸 배우게 된다. '아는 건' 직접 마주할 때 더 오래 기억에 남는다. 아이가 생각하는 것이 비록 사소하고 작은 일이라도 아이를 인정해주면 자기주도적인 생각을 펼치는 계기가 되고, 그건 자연스럽게 교육이 된다.

아이가 7살이 되던 해였다. 그해 겨울은 나에게 또 다른 걱정거리가 생긴 시기였다. 사교육 하나 시키지 않았지만 내 아이가 행복하고 즐거운 생활을 하고 있다는 것만으로도 만족해했다. 하지만 이제 곧 1년 후면 학교에 보내야 한다고 생각하니 걱정이 앞섰다.

영어 학습에 대한 걱정과 함께 유치원에 대한 걱정이 가장 컸다. 집에서 가깝고 공부보다 독서나 놀이 등 인성을 중요시 여기는 유치원을 네다섯 군데 알아봤다.

"이제 7살이니까 집에서만 있는 것보다 친구도 만나고 선생님들과 새로운 걸 배우는게 어때? 학교 갈 준비도 해야 하니까 유치원을 다녀보자?"

"엄마랑 같이 유치원 구경 가는 거야?"

"물론이지. 일단 세 곳 정도 가보자. 엄마랑 함께 가서 선생님도 보고, 교실도 보고, 먼저 다니고 있는 친구들도 보고, 원장님 이야기도 들어볼까?"

아이와 유치원을 방문하고 상담을 받았다. 두 군데가 마음에 들었다. 그러나 직접 다니는 건 아이다. 아이에게 결정권을 내주기로 했다.

"우리가 다녀 본 곳 중에 어디가 제일 맘에 들어?"

"첫 번째랑 세 번째가 맘에 들긴 하는데 잘 모르겠어. 지금 꼭 말해야 하는 거야?"

"그건 아니야. 3일 정도는 시간 있어. 원장 선생님께서 3일 안으로 전화로 접수를 해야 한다고 했으니까. 그래도 미리 결정해야 엄마도 준비를 할 수 있을 것 같네."

"알았어. 나 조금만 더 생각해볼게."

나는 아이에게 시간을 주고 기다렸다. 다음날 저녁이었다.

"엄마. 나 결정했는데. 뭐 좀 물어봐도 돼?"

"응. 물어봐도 되지. 뭔데?"

"있지……. 유치원에 꼭 가야 하는 거야?"

순간 나는 머리를 뭔가로 맞은 기분이었다. 그때의 기분을 잊을 수 없다. 한참동안 말없이 생각했다. 그리고 아이에게 물었다.

"왜? 마음에 드는 곳이 없어?"

"아니. 가야 한다고 하면 결정한 곳은 있어. 근데 왜 그런 곳에 다녀야 하는지 잘 모르겠어. 네모 반듯한 곳을 꼭 다녀야해? 나 유치원에 안 가면 안 돼?"

아이 스스로 유치원 교육을 거부했다. 경제적으로 힘든 두 번째 시기였다. 속으로 '유치원비 부담이었는데 절약해서 다행이다.' 라는 생각까지 들었다. 하지만 절약을 떠나 아이의 생각이 먼저였다.

"아니야. 안 가도 돼. 네가 그런 느낌이 들면 안 가도 돼. 근데 안 가게 되면 엄마가 일을 간 후에 혼자 어떻게 시간을 보낼지 생각해야 해."

아이는 걱정이 사라진 표정이었다. 고개를 강하게 끄덕였다.

"그럼 내일은 혼자서 어떻게 하루를 보내면 좋을지 정리해보자.

그리고 네가 할 수 있는지, 없는지 다시 말해보는 게 어떨까?"

"좋아. 그럼 엄마랑 하고 싶은 거랑 나 혼자 하고 싶은 거 생각할게."

아이는 그제야 신이 난 표정을 지었다.

어린 아일수록 생각이 더 명확하다. 아이들은 더 좋은 일보다는 지금 당장 하고 싶은 것과 안 하고 싶은 일을 말한다. 그리고 돌려 말하지도 않는다. 난 아이의 명확한 의사표현을 믿기로 했다.

아이 눈에 비친 유치원이 어떻게 네모 반듯한 느낌을 주었는지는 지금도 모른다. 아이가 내 경제적 지갑을 훔쳐본 것일까? 아니면 자유롭게 집에서 지내고 싶었던 것일까?

아이의 선택으로 유치원도 보내지 못한 부모가 아닌, 유치원 교육 없이 아이를 서울대에 보낸 부모가 되었다.

첫째의 '붕어빵 아줌마'처럼 둘째의 꿈도 특별했다.

아이는 5살 때 틈만 나면 나와 언니를 베개에 누우라고 한 뒤 얼굴과 머리를 조몰락거렸다.

"뭐 하는 거야?"

"내가 앞으로 하고 싶은 게 생겼거든. 지금부터 열심히 연습해야 해."

어디서 본 건지 아니면 아이가 워낙 꾸미는 걸 좋아해서인지 미용과 외모에 관련된 일을 하고 싶어 했다. 딸을 위해 6개월 정도 얼굴과 머리를 내어주었다.

"엄마. 난 네일아트 하는 사람을 가르치고 옷 만드는 일을 하고 싶어."

"그럼 디자이너야?"

"그렇다고 할 수 있지. 그리고 피부관리사도 할 거야. 피부에 관한 모든 걸 하는 사람이야, 난. 그니까 손톱에 예쁜 그림을 골라주고, 그 사람에게 어울리는 머리도 그려줘야 해. 여자는 피부도 좋아야 예뻐 보이니까 피부도 관리해 줄 거야."

"아 그런 걸 하고 싶구나. 멋지다! 엄마는 공짜로 해주는 건가?"

"당연하지. 그런데 디자인만 내가 하고 직접 하는 건 다른 이모들을 시킬 거니까 엄마가 그 이모들에게 공짜로 해달라고 말해야 해. 음… 그래도 내가 잘 말해서 엄마 공짜로 해달라고 할게. 걱정하지 마."

어느 부모가 아이 꿈이 '붕어빵 아줌마', '피부관리사'라고 할 때 선뜻 좋아해 줄 수 있을까. 사실 나도 처음 아이에게 꿈 이야기를 들었을 때 헉 소리부터 났다.

아이들은 아직 미숙하다. 지금 좋아하는 일을 계속 하고 싶어 한다. 자라면서 바뀌고 여러 번의 시행착오가 있다는 건 부모만 알고 있다. 주체적 삶을 살기에는 아직 마흡한 존재다.

아이는 자신이 좋아하는 것과 잘하는 것을 구분하지 못한다. 아이의 꿈이 비록 허황하고 미흡하더라도 아이의 꿈을 지지해 주고 칭찬해 주면 아이는 환몽 속에서도 자신만의 창의적이고 새로운 세상을 만들어 낼 거라 확신한다.

아이를 키우면서 필요한 '자녀 지지 교육법'이다.

아이는 아이라는 자체로 사랑받을 존재다. 아이 안에 얼마나 멋진 상상의 날개가 펼쳐질 수 있는지 가늠하기란 어렵다. 아이의 생각, 행동 그 자체 하나하나를 지지해 주면 아이는 내재된 날개를 활짝 펴고 더 높이 더 멀리 날아갈 수 있다.

작은 도토리 씨앗 속에서 커다란 상수리나무가 들어있고, 그 작은 씨앗들이 모여 멋진 신갈나무 숲이 만들어진다. 조나단 리빙스턴 작가의 〈갈매기의 꿈〉처럼 어떤 세상으로 어떤 모습으로 날아가게 될지 어른들은 모른다. 어른들은 다만 지지해줘야 할 뿐이다. 아이 그 자체를. 아이의 말과 행동 모든 것을 말이다.

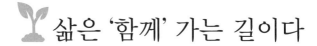 삶은 '함께' 가는 길이다

경제위기가 닥치면서 어릴 적부터 경제관념을 심어줘야 한다는 목소리가 높아졌다. 경제란 '사람이 생활함에 있어서 필요로 하는 재화나 용역을 생산, 분배, 소비하는 모든 활동'이라고 국어사전에 나와 있다. 벌어들이고 절약하여 모으는 것만큼 중요한 건 소비라고 분명히 밝히고 있다. 경제는 중요하고 필요한 영역이다.

조선 후기 실학자 중에 상공업 장려를 주장하던 박제가가 있다.

'검소하다는 것은 물건을 남용하지 않는다는 것을 말하는 것이지, 자신에게 물건이 없다 하여 스스로 단념하는 것을 가리키는 것이 아니다. 지금 나라 안에 구슬을 캐는 집이 없고, 시장에 산호 등의 보배가 없다. 금

과 은을 가지고 가게에 들어가도 떡을 살 수 없는 형편이다.'

〈북학의〉의 한 구절이다. 왜곡된 검소가 초래한 경제의 위축에
대해 말하고 있다.

'무릇 재물은 우물과도 같다. 우물의 물은 퍼서 쓸수록 자꾸만 가득 채
워지는 것이고, 이용하지 않으면 말라 버리고 마는 것이다.'

박제가의 우물론은 왜곡된 검소를 극복하고 '소비'의 원리를 정
확히 운영하는 것이야말로 경제를 발전시킬 수 있는 길임을 잘 말
해주고 있다.

이처럼 경제에서 중요하다고 말하는 건 버는 것만을 의미하는
게 아니다. 소비를 어떻게 하느냐도 중요하다.

최근 아이들을 대상으로 하는 경제교육이나 경제캠프가 활발하
다. 경제관련 업체나 은행권에서 실시하는 어린이 경제교육은 아
이들의 용돈관리, 현명한 소비, 수요와 공급의 시장 경제의 원리
를 설명해주고 있다.

하지만 기부, 나눔 등 함께 사는 세상을 위한 교육은 경제교육
에 비해 소홀하다. 이런 교육은 부모가 어릴 적부터 가르쳐야 한
다. 경제처럼 세상을 살면서 필요한 사항이라고 똑같이 인지해야
한다. 나눔은 사회 공동체적 사명이다.

내 교육관에서 아이에게 용돈을 주는 건 아이를 하나의 인격체

로 인정한다는 의미다. 아이를 믿고 있다는 표식이기도 하다. 나는 큰 아이가 초등학교 3학년이 되었을 때 정기적으로 월 이천 원의 용돈을 주기 시작하여 일 년마다 천 원씩 인상 했다. 고등학교 2학년 때는 만 원, 고등학교 3학년 때는 2만 원을 줬다.

용돈이라고 하기에 너무도 적은 돈이었다. 필요한 물건을 사기에 턱없이 부족했을 테고 친구들과 맛있는 간식도 제대로 사먹지 못했을 게 빤하다. 적은 용돈에 늘 미안했다.

그럼에도 아이는 매달 용돈 반액을 유니세프에 기부했다. 누구의 압력이 있었던 건 아니었다. 적은 돈이었지만 기꺼이 기부를 했고, 지금도 여전히 기부를 해오고 있다.

용돈을 정해진 금액으로 제한을 둔 건 아니었다. 대신 더 받아야 할 때는 그만큼의 일을 해야 했다. 집안 대청소, 동생 돌보기, 청소와 설거지 등 집안일이 대부분이었다.

명절에 받게 되는 큰 용돈이나, 아이들에게 칭찬 요법으로 주어진 특별 용돈은 저금부터 하게 했다. 평소 쓸 돈이 부족하다 갑자기 돈이 생겼을 때 흥청망청 쓸 법도 한데 아이는 꾸준히 용돈기입장을 썼다.

꼭 필요한 곳에 돈을 쓰고 나머지를 잔돈까지 잘 챙겨서 저금통에 넣었다. 저금통에 모여진 잔돈은 3개월 기준으로 통장에 다시 입금하고, 일 년을 모은 후에는 적금으로 묶어두는 식으로 용돈을 모았다. 그렇게 모은 용돈의 일부로는 집안 어른들의 생신이나 특별한 날 선물을 준비했다.

"외할머니 생신인데 고민하다가 빨간 립스틱을 샀어."

"빨간 립스틱?"

"어. 외할머니가 엄마랑 다르게 좀 세련미가 있잖아. 외할머니 은근히 멋쟁이신거 같아서 빨간 색이 어울릴 것 같아."

"그래? 너무 빨갛다고 할 것 같은데…"

그런데 웬걸 "아이구야. 어쩜 내가 꼭 갖고 싶은 색으로 잘도 골라왔네." 라며 그 자리에서 바로 바르셨다. 아이가 모은 돈으로 직접 고른 선물인데, 마음에 안 드는 게 이상한 일이다.

외할아버지 생신 때는 딸이 용돈을 모아 수면바지를 사드린 적이 있는데 외할머니랑 커플로 입으라며 두 개를 샀다.

아이가 이렇게 절약하며 돈을 차곡차곡 모으는 것이 습관은 생활 속에서 받은 엄마의 무서운 협박이 한몫 했다.

"화장지 두 칸만 쓰라고 했지?"

"수돗물 좀 아껴 써. 물을 세게 틀면 수도요금이 많이 나가니까 약하게 틀고 쓰는 거 명심해."

"방에서 나올 땐 전기 끄고, 바로 들어갈 거면 형광등 끄지 말고 나와."

"보일러는 약하게 틀 거야. 춥다고 하지 말고 양말이랑 내복 입어."

생각해보면 텔레비전에 나오는 짠돌이가 한다는 건 다 해봤다. 아이를 키우면서 절약에 대해 늘 강조했다.

어느 날 할머니 댁에서 있던 일이다. 아이가 모르고 우유를 엎질렀다.

"휴지 좀 갖다 줘라." 했더니, 우리 딸이 화장지 두 칸을 뜯어 왔다.

"아이구. 이걸로 뭘 닦으라고 가져 왔니? 엄마가 얼마나 아껴 쓰라고 했으면 이걸로 닦으려고 했을까."라며 혼이 난 적도 있다.

아이를 키우는 데 정신적 지지는 평생 해야 하지만 경제적 지지는 20살을 기준으로 끝내는 게 내 계획이다. 경제적으로 적당한 나이가 되면 독립을 시키는 건 부모의 역할이다. 그러기 위해서는 성공적 독립이 되도록 미리 준비해야 한다. 경제적 독립이 당연하다는 걸 가르쳐야 한다. 대한민국 사회에서는 결코 쉽지 않지만 그렇게 키우려고 노력했다.

아이에게 미리 말한 적도 있다.

"너 20살 때까지만 뒷바라지 해 줄 거야."

"그럼, 대학은?"

"대학교 들어가는 등록금 포함해서 1학년까지는 엄마가 내줄 생각이야. 그 후로는 네가 장학금을 받던지, 아르바이트를 하던지 알아서 해결해."

자란 환경이 넉넉하지 않기도 했지만, 늘 절약을 권했으니 허투루 돈 쓰는 일이 없었다. 불가능할거라 생각하지 않는다. 이미 몸에 밴 버릇이다.

아이는 학교에서도 절약정신을 발휘했다. 아이들이 잃어버리고 찾아가지 않는 주인 없는 연필 따위의 학용품을 다 주워왔다. 몽당연필은 볼펜꼭지에 끼워 썼다.

한번은 흥분한 채로 집으로 뛰어들어 왔다.

"엄마! 엄마! 엄마 어디 있어?"

"왜? 무슨 일 있었어?"

"엄마 나 집에 오면서 길에서 10원 주웠다."

"뭐? 100원도 50원도 아니고 10원?"

"어."

"그게 그렇게 좋아?"

"엄마. 10원도 얼마나 큰돈인데! 그리고 10원씩 내가 열 번을 주우면 100원이 되고 또 100원을 주울 수도 있고, 계속 주우면 엄청 큰돈이 되는 거지."

아이는 오히려 나에게 핀잔을 줬다.

"그렇긴 하네. 10원이니까 네가 가져도 되지만 큰돈은 네가 가지면 안 되는 건 알고 있지? 그리고 10원을 주운 곳이 교실이면 10원도 주인을 꼭 찾아줘야 해. 정해진 장소에서는 잃어버린 사람을 찾을 수 있으니까 금액의 크기와 상관없이 잃어버린 사람을 생각해 줘야해."

"알지! 엄마, 아이들은 이상해. 연필, 지우개, 샤프 주인 누구냐고 선생님이 열 번도 더 물어보고 일주일씩 물품보관함에 둬도 안 가져가. 저번엔 학교 분실물 함에 비싼 잠바도 있었는데 한 달도 넘게 안 가져가서 교장선생님께서 불우이웃돕기에 줬대. 참 이상하지? 다들 부자여서 그런가?"

아이에게 돈 제대로 쓰는 법, 갖고 있는 물건과 돈을 절약하는 법을 가르쳤다. 아이는 작은 물건 하나 10원짜리 하나도 아깝고 귀하게 여기면서 자랐다.

나는 내 교육관에 확신을 가졌다.

'2% 부족한 환경을 만들었을 때 아이는 스스로 답을 깨닫기도 하는구나!'

아이를 키우면서 용돈을 많이 줄 형편이 안 되기도 했지만 필요이상 용돈 주는 자체를 반대하는 편이다. 그렇다고 용돈을 주지 않고 이것저것 필요하다는 것을 사주는 것은 더더욱 반대다.

집집마다 경제 상황이나 돈에 대한 가치관은 다르다. 나처럼 아끼는 게 정답이라고 확답을 내릴 수는 없다. 하지만 작은 것에도 소중함을 느끼게 하고 스스로 자신의 힘으로 돈을 모을 수 있다는 생각을 키워주는 건 다르다. 이런 생각을 기반으로 경제적 계획이 세워지도록 교육이 필요하다.

아이들의 부족한 용돈은 집안일로만 끝나지 않았다. 아빠가 일하는 건설현장에도 가능했다. 물론 위험하지 않은 일이었다. 핀줍기였다.

건설현장에서 고정시키는 용도로 사용하는 '핀'이 있다. 철로 만들어진 물건인지라 작지만 하나하나가 돈이 되는 물건이다. 잘 주워두지 않으면 쉽게 없어지는 물건이기도 하다.

작은 거 하나라도 아껴야 한다는 취지에 맞고 돈을 버는 게 힘들다는 인생수업도 하는 셈이다. 게다가 쉽게 접할 수 없는 경험으로도 충분했다.

자주 갈 수는 없지만 일 년에 한두 번 정도 일이 생겼다. 아이들은 현장에 가서 아빠가 얼마나 힘들게 일하는지 직접 보게 된다. 동시에 돈을 아껴 써야 하는 이유를 스스로 알게 했다.

어릴 때는 10개에 10원, 좀 커서는 1개에 10원이라고 정해놓고 핀을 줍게 했다. 아이들은 천 원에서 많게는 만 원의 용돈 벌이를 했다.

아빠의 역할에 대해 억지로 설명하려고 하지 않아도 아이들은 그대로 느끼고, 나에게 말했다.

"엄마! 아빠 일하는 곳은 정말 힘든 곳이야. 위험하고, 먼지도 많아. 아빠가 그러는데 어쩔땐 꼭대기에 올라가서 일한대. 우리 집보다 더 높은 곳까지 올라가서 일한대. 여름엔 뜨거운 햇볕 아래에서 일하고 겨울엔 추운 밖에서 일하고… 아빤 너무 힘들 것 같아."

"그러니까 아빠한테 잘 해야 해. 아빠가 너희들 없으면 이렇게 안 해도 되는데 딸들 잘 키우려고 힘든 일 마다하지 않으니까."

"응. 나 공부도 열심히 할게."

"그럼 더 좋지. 공부 열심히 하면 아빠는 하나도 안 힘들걸."

아이는 유치원을 다니지 않아서, 주로 놀이터에서 놀았다. 동네 아줌마들과 수다를 떨기도 하고 때때로 동네 아줌마들에게 급한 사정이 생기면 저보다 더 어린 아이들을 돌보기도 했다. '놀이터 유치원' 꼬마 원장 노릇을 한 것이었다.

놀이터에서 아이들과 모래놀이도 하고, 소꿉놀이도 하고, 놀이기구를 탔다. 자신이 먹을 간식도 나눠먹고 친동생처럼 놀아줬다. 아이는 그렇게 자연스럽게 사람을 좋아하고 아끼는 성향이 되었다.

'절대음감'이라는 게 있다. 전문가들의 말에 의하면 '절대음감'에는 세가지 종류가 있다고 한다.

'가짜 절대음감'은 음악영역 학습을 오래 하면서 생겨난다. '준절대음감'은 오케스트라나 피아노와 같은 악기 다루기를 직업으로 하는 전문직을 의미한다. '진짜 절대음감'은 우리가 알고 있는 교육 없이 타고난 재능이다.

우리 아이는 처음부터 사람을 사랑하는 아이로 타고난 성향이 있었을지도 모른다. 하지만 경험과 책이란 매개체로 사람이 얼마나 소중한지를 깨달았다고 생각한다. 인성은 학습으로도 충분히 형성 가능하다.

동네 어른들의 사랑을 보고 배웠을 테고 부모와의 대화를 통해 배려도 배웠을 것이다. 엄마와 함께 놀았던 경험으로 아이가 자랐다는 걸 의심할 수 없다.

동네 어른들에게 "꼬마 유치원 원장님"이라고 불리며 자연스럽게 책임감도 배우게 되었다.

한 번은 고맙다며 동네 어른이 아이에게 붕어빵을 하나 줬다. 배고픈 시간이기도 하고, 하나를 주신 거라 혼자서 먹어도 될 텐데 아이는 먹지 않았다. 한 개의 붕어빵을 엄마랑 나눠 먹고 싶어서 집까지 들고 왔다.

나는 그날따라 일이 늦게 끝났다. 아이는 집에서 엄마가 오지 않아서 무슨 일이 생긴 줄 알고 울었다고 한다. 붕어빵을 들고 울다가 너무 배가 고파서 '눈물의 붕어빵'을 먹었다고 한다. 웃지 않을 수 없는 이야기다.

지금도 아이는 말한다.

"엄마가 눈물의 붕어빵을 안 먹어봐서 모르지? 그거 완전 슬픈 이야기야."

이렇게 너스레를 떨기도 한다. 지금 생각해보니, 상처럼 받은 붕어빵이니 길에서 홀짝 먹어버리기 아까웠던 모양이었다. 얼마나 엄마에게 자랑하고 싶었을까? 아마 칭찬을 기대했던 모양이다.

　아이가 마음이 착하게 커서 참 다행이다 싶은 건 학교를 다니면서도 계속 되었다.

　초등학교 6학년 때 일이다. 같은 반 친구가 몸이 아파서 구토를 하려고 하자 선생님께 말씀드려 아이를 데리고 화장실로 가려 했다. 친구는 화장실로 가는 길에 다른 반 교실 앞 복도에 토를 하고 말았다. 아픈 아이는 일단 화장실 갔고, 복도에는 친구의 토사물이 남았다.

　선생님은 소란스런 소리를 듣고 교실 밖으로 나왔다. 상황을 보고 청소도구를 찾으러 가는 선생님께 딸이 말했다.

　"제가 치울게요. 선생님."

　그러고는 손으로 친구의 구토물을 직접 치웠다고 한다. 그 뒤로 선생님들 사이에서 딸은 모범적이고 착한 아이라고 소문이 났다. 정작 나는 이 이야기를 졸업식 날 담임선생님으로부터 듣게 되었다.

　선생님은 "아이를 정말 잘 키우셨어요. 아무 걱정 안 해도 앞으로도 바르게 자랄 녀석이에요."라며 칭찬했다.

　그날부터 나는 아이가 무엇을 하든 믿음이 생겼다. 남 일에도 발 벗고 나서는 아이가 대견스러웠다. '나라면 어떻게 했을까?'란 생각을 하자 부끄러웠다. 난 이 이야기를 듣고 난 후에도 '못할 것 같다’라는 생각을 했다.

어릴 적 유치원을 다니지 않아 남들과 같은 교육을 받지 못했
다. 그러나 아이는 놀이터에서 자기보다 어린 친구들을 돌보면서
교육보다 더 중요한 걸 배웠다. 그건 배려와 인성이었다.

중학교에서도 마찬가지였다. 음악 수행평가로 악기연주를 해야
했다. 아이는 피아노를 연주 할 계획이었다. 어떤 노래를 할지 고
민하면서 2곡을 선정했다. 2개 중에 고르려나 하고 생각했었는데
아니었다. 자신이 하고 싶은 노래는 이미 골랐는데 친구를 위해
친구와 어울릴 것 같은 노래를 2곡 더 고른 거라고 했다.

“왜 친구 노래를 골라주는 거야? 친구가 부탁한 거야?”

“아니. 그게 아니고 친구가 악기연주를 포기하겠다고 해서.”

“응? 친구가 포기한다는데 왜 호영이가 선곡을 한 거야?”

“친구가 어렸을 때 피아노를 조금 배웠는데 지금은 잊어버려서
못 친다고 해. 연습하기 어렵고 괜히 시간만 낭비하고 점수 나쁘
게 받느니 차라리 안 한다고 말하더라고.”

“그랬구나. 그럼 안 한다는 친구를 설득하려고?”

“응, 설득해야지. 선생님이 한 마디라도 연주하면 기본 점수 주
신다고 했거든. 하나도 안하면 0점 처리한다는데 기본 점수라도
받으면 좋잖아. 피아노는 내가 알려주면 되니까.”

“좋은 생각이다.”

아이는 친구를 설득했다. 일주일간 집으로 친구를 데리고 왔다. 선곡 했던 노래 중 하나를 친구가 고르고 그 노래 연주를 매일 연습했다.

시험 날이었다.

"엄마, 친구 피아노 끝까지 쳤어. 완전 잘하는 거 있지! 만점에서 2점 모자란 점수를 받았다니까."

얼마나 호들갑을 떨었는지 남이 보면 아이 자신의 일로 착각할 정도였다. 요즘 아이들은 점수 1점 때문에 친한 친구들끼리도 서로 경쟁을 한다는데 친구가 잘 되도록 도와주는 내 아이를 보면서 나는 다시 한 번 어른으로서의 부끄러움을 느꼈다. 은연중에 남들보다 잘 되는 아이를 꿈꾸었는데 우리 아이는 남과 함께 잘 되는 아이로 크고 있었기 때문이다.

내 경험상 경제교육은 엄마의 말만으로 쉽지 않다. 하지만 반대로 쉽다. 절약하는 모습만 보여도 충분하다. 아이는 누구나 옳다고 생각하는 걸 배운다.

연예인 김종국 아버지가 엄청난 짠돌이라고 방송에서 말한 적이 있었다. 그래서인지 김종국도 자신에게 쓰는 돈이 아깝다고 한다. 부모에게 배운 습관이 김종국에게도 이어졌다.

여기서 더 중요하게 봐야할 게 있다. 절약하여 모은 돈을 어떻게 할 것인가이다.

혼자 행복하고, 혼자 맛있는 걸 먹고, 혼자서 사용하기 위해 절약하는 게 아니라는 것을 아이에게 가르쳐줘야 한다. 우리는 쉽게 구호단체나 기부금 관련 광고를 볼 수 있다. 300원, 3,000원이면 아이들이 병에 걸리지 않게 약을 얻을 수 있고, 학교를 다닐 수 있다고 한다.

한 달 삼사만 원이면 아이를 후원할 수도 있다. 우리나라 저소득층 아이를 후원하는 방법도 있고 해외 아이들을 후원 할 수 있다. 나눔은 아이들의 용돈에 맞게 작은 돈도 가능하다.

어릴 적부터 아이들이 자신의 용돈을 절약하는 것만큼 중요한 일은 자신보다 부족한 사람들에게 기부하도록 만들어주는 습관이다.

나는 경제교육을 용돈 버는 방법에서 멈추지 않았다. 기부까지 몸에 배도록 알려줬다. 이 방법이 아이들을 선하고 배려심이 깊은 사람으로 만들어주었다고 믿는다.

현재 대학에 다니는 큰아이는 여름방학 내내 자원봉사를 하는 데 시간을 보냈다.

증도라는 섬에 가서 봉사도 하고 지역아동센터에 가서 아이들에게 수업을 해주는 교육봉사도 했다. 누구나 참여 하도록 기부를 알리는 봉사도 하고 밤길걷기 행사를 통해 기부문화를 알리는 일도 했다. 2학기 때는 중학교로 가서 아이들과 함께하는 멘토 생활도 했다. 딸은 '멘토 우수자'로 뽑혀 상도 받았다.

겨울방학 때는 아이가 배우고 싶어 했던 음악치료를 공부하느라 많은 시간을 투자하진 못하지만 여전히 멘토로 활동하면서 멘티에게 정신적인 도움을 주고 있다.

아이는 늘 혼자가 아니라 함께 가야 하는 부분을 고민하고 있다. 자신이 할 수 있는 일이 뭔지를 끊임없이 생각한다.

기부를 강제로라도 시키거나 알려주는 건 부모로서 꼭 해야 할 일이다. 겪어보지 않는 이상 기부문화를 이해하기는 어렵다. 덧붙여서 아이에게 부족함이 불편함을 감수해야 한다는 걸 알게 해야 한다. 불편함을 경험했던 아이는 자신이 얼마나 행복한지 알게 된다. 그리고 자신보다 힘든 친구가 있다면 함께 가야한다는 걸 스스로 깨닫게 된다.

경제교육은 삶의 지혜가 된다. '자녀경제교육법' 하나로 절약과 기부, 더 나아가서 함께 가는 사회구조를 이해하게 된다.

🌱 화내는 부모가
아이를 망친다

아이를 키우다보면 이성을 잃을 때가 있다. 순간적으로 악마가 된다. 아이를 향해 소리를 지르거나 울기도 하고 가끔 매를 들기도 한다. 아주 사소한 상황이 내 안의 본성을 불러낸다.

하지만 잘 들여다보면 아이를 핑계 삼아 화를 내는 경우가 더 많다. 실제로 화를 내는 모습을 들여다보면 자신이 건강하지 못할 때가 더 많다. 내가 몸이 아프고 짜증나는데 아이까지 도와주지 않을 때, 내가 속상한 일이 있는데 아이마저 내 맘을 속상하게 할 때 화를 내게 된다.

〈화내는 부모가 아이를 망친다〉라는 책에는 '방아쇠생각'이 등장한다. 이 용어는 자신에게 스트레스를 주는 상황에서 아이에게 부정적인 언어를 사용하는 일이다.

'방아쇠생각'은 극복해야 한다. 이 극복을 위해 내가 사용하는 방법이 몇 가지 있다.

첫째, '작전타임' 방법이다.

우선 화가 나면 아이와 잠깐 떨어져서 각자 생각을 한다. 아주 짧은 십 분 정도의 시간으로 충분하다. 이정도 시간만 지나도 일이 크게 확대되거나 부모가 이성 잃을 행동을 하지 않는다.

작전타임을 갖고 부모는 감정 조절이 되는데, 아이가 안 되는 경우도 더러 있다. 이럴 땐, 아이를 '생각의자'에 앉히는 방법도 좋다.

불과 5년 전까지만 해도 우리 집에는 생각의자가 있었다. 생각의자는 순수하게 아이를 위한 의자이므로 가벼워야 하고 벌을 받아야 할 때 스스로 들고 이동이 가능해야 한다. 우리 집은 우유팩으로 생각의자를 만들었다.

생각의자에 아이를 앉히고 3~5분 정도를 벽을 보고 있게 한다. 처음엔 앉지 않겠다고 하거나 울기도 한다. 그렇다면 억지로라도 자리에 앉혀야 한다. 부모가 자리를 피하면 아이는 금방 진정하게 된다. 그리고 반성이나 생각을 하게 된다. 너무 오래 앉혀 두지는 말아야 하고, 중간 중간 체크해야 한다.

둘째, '항문을 조이고 숨을 내쉬기'다.

감정 조절을 하거나 자신의 감정을 이해하는 방법도 권하고 싶지만 훈련이 필요하다. 때문에 '호흡법'이 더 효과적이다. 숨을 일정한 간격으로 내쉬면 감정이 진정된다.

셋째, '나 전달법'이다.

아이에게 "지금 너무 화가나."라고 솔직하게 말한다. 솔직하게 말함으로써 아이는 부모가 모든 걸 받아들이는 존재가 아닌, 감정을 가진 하나의 존재라고 깨닫게 된다.

이성이 달아나는 걸 깨닫지 못 하게 되면, 결국 아이에게 악마 같은 얼굴을 보이게 된다.

매튜 맥케이의 〈화내는 부모가 아이를 망친다〉란 책을 보면 엄마의 화는 습관처럼 나오는 경우가 많다. 엄마의 화는 아이의 뇌에 큰 손상을 준다고 한다. 외상으로 표현하자면, 수술과 성형으로도 치료되지 않는 깊은 상처가 뇌에 흉터처럼 남는다고 한다.

이런 과정을 만들기 전까지는 나도 보통의 엄마였다. 내 아이들의 뇌에도 많은 상처가 남아있을 거라는 데 의심하지 않는다.

특히, 둘째딸을 생각하면 미안함이 깊다. 큰딸이 학교에 다니기 시작한 해에 태어났기 때문에 옆에서 언니의 혼나는 모습을 다 보고 자랐다. 직접 혼난 게 아니지만, 똑같은 감정을 옆에서 받아들였다. 언니가 혼나면 자신까지 혼날까봐 말을 잘 듣거나 일찍 잠

자리에 들어버리기도 했다.

큰딸은 어렸을 때 내 옆에 바짝 붙어 지낸 시간이 길었다. 그래서인지 종종 나와 맘이 맞지 않거나 잔소리를 들어도 금방 밝아지고 나를 이해했다.

그러나 둘째는 달랐다. 어릴 적 내가 돌보지 못한 시간이 많아서인지 불안해 보이고, 눈치도 많이 보는 편이었다. 그러면서도 엄마 도움 없이 혼자 다 알아서 하려고 하는 모습이 보였다.

둘째는 태어나서 받았던 노디 얼굴 인형을 지금도 가지고 있다. 불안하면 꼭 껴안고 노디 얼굴 인형을 만지는 버릇이 남아있다. 14년을 함께 동고동락한 인형이 엄마 자리를 대신 한것 같아 부끄럽고 미안하다.

노디 인형은 아무리 빨아도 깨끗해지지 않을 정도다. 지퍼를 세 번이나 새로 달아주기도 했다. 그래도 코가 다 닳아 돼지 코처럼 구멍이 뻥 나있다.

"언제까지 데리고 있을 거야? 비슷한 인형이 없어서 사지도 못하고 어쩌지?"

"그냥 어른이 되도 함께 있고 싶어. 엄마에게 혼났을 때나, 집에 혼자 있을 때나 난 노디만 옆에 있어주면 마음이 편안해져."

"그래도 노디가 너무 더러워지고 닳았잖아."

"그래도 괜찮아. 친구니까."

내가 가장 중요하다고 여기는 건, 만 4세 이전 아이와 어릴 적

부모와의 애착형성이다. 나 역시 어릴 적 상처가 족쇄 같았던 적이 있었다. 그 족쇄는 내 스스로 끊어버릴 힘이 생길 때까지 나를 옭아맨다.

시대과의 갈등, 건강을 챙기지 못해 유산되면서 생긴 스트레스, 남편의 수술로 인한 두려움, 경제적인 어려움까지. 불안감이 한꺼번에 몰아 왔던 시기에 둘째 진이가 태어났다. 최선을 다한다고 다짐했지만 최고의 엄마가 되기에는 역부족인 시간이었다.

많은 엄마들에게 말한다. 더 늦기 전에 지금 당장 아이를 안아주라고 말이다. 내 주변의 시간과 상황이 아이와 연계되지 않도록 해야한다.

큰딸이 초등학교 1학년이었을 때다. 나갔다 돌아와 보니 아이가 처음 보는 지우개를 가지고 있었다.

"너 이거 어디서 났어?"

"이거 내 거야."

"엄마는 사준 적이 없는데?"

"내가 샀어."

"너 돈 어디서 났어?"

"저번에 외할머니가 준 용돈으로 샀어."

"만 원짜리로 지우개를 산거야? 그럼 나머지 잔돈은 어디 있어?"

"……"

"어? 애가 왜 말을 못해? 뭐야?"

"……"

아이는 계속 말이 없었다.

"이거 네 것 아니지? 설마 엄마가 제일 나쁘다고 말하는 행동한거 아니지? 말 안 하면 엄마 매 들거야."

이날 나는 그 동안 성실하다고 생각했던 아이가 처음으로 보인 거짓된 행동에 이성을 잃었다. 아이의 입이 열리길 화로 재촉했다.

"실은 짝꿍거야."

"그럼 남의 물건을 가져온 거야? 말도 안 하고 가져온 거야?"

"어."

"그럼 이거 훔쳐온 거야? 왜? 너 지우개 없었어?"

"아니. 지우개 있는데 이건 예쁜 지우개고 나는 쓰다만 지우개니까……."

"그럼 예쁜 물건 있으면 다 가져와도 되는 거야? 그럼 친구가 네 물건 중에 예쁜 거 있다고 가져가도 괜찮은 거야?"

"아니."

"너 정말 이렇게 나쁜 짓 할 거야? 친구네 집 알면 지금 당장 갖다 주고 와."

"집은 몰라. 내일 학교에서 줄게. 근데 엄마 이거 일부러 가져온 건 아니고 너무 예뻐서 보고 있다가 모르고 가지고 온 거야."

"모르고 가져왔어도 나쁜 거니까 꼭 내일 돌려줘야 해, 꼭. 알

앗지?"

"알았어."

아이는 나에게 혼나면서 많이도 울었다. 이때를 생각하면 가난했던 내 상황도 싫었지만 지우개 하나에 아이를 닦달 하며 몰아세운 내 자신이 너무도 부끄럽다. 아이 입장에서 받아들일 수 있도록 더 부드럽게 말하지 못했다.

'당연히 우리 아이는 나쁜 짓은 하지 않을 거야'라고 믿었던 엄마들은 아이의 잘못을 보게 되면 믿음에 금이 가는 순간을 감당하지 못한다. 그때 나도 그랬다. '내 아이만큼은 그러지 않으리라고 믿었는데…'라는 생각이 지배적이었다. 아이의 모습에 실망하고, 아이의 마음과 상황을 헤아리기도 전에 내 자존심에 흠집이 난 것에만 집중했다. 결국 이성을 잃고 화부터 냈다.

"이런 예쁜 지우개가 갖고 싶었구나. 엄마가 하나 사줄까?"

조금만 부드럽게 아이의 마음을 헤아리며 말했다면 좋았을 걸.

많은 엄마들이 아이에게 화를 내는 모습을 들여다보길 바란다. 자세히 들여다보면, 아이가 잘못한 일은 20%도 안 된다. 나머지는 엄마가 남에게 어찌 비춰질지 두려운 마음이다. 내가 그때 그랬다. 아이보다 내가 먼저였다.

이후 아이의 용돈을 고민했었다. 초등학교 1, 2학년 때는 아이에게 돈을 쓰는 방법, 엄마가 돈을 절약하는 방법, 우리 집의 경제 사정에 대해 이야기들을 해주면서 경제개념을 심어줬고 초등학교

3학년 때부터 용돈을 주면서 용돈기입장을 함께 선물했다. 남이 갖고 있는 물건을 갖고 싶을 때, 노력하면 충분히 살 수 있다는 걸 알려주고 싶었다.

아이는 어릴 때 부모에게 혼났던 일을 귀신같이 기억하고 있다. 그리고 그 기억은 두려운 상처가 된다.

큰딸이 5살 무렵이었다. 당시 우리 집은 오토바이가 있었다. 집에서 내가 일하는 곳까지 오토바이로 20분 정도 떨어져 있었다. 남편은 내 일이 끝나는 시간에 종종 아이와 함께 나를 데리러 왔었다.

아이를 뒤에 태우면 떨어질 위험이 있어서 아이를 앞에 세워서 태우고, 남편이 아이를 감싸 안는 자세로 운전을 했다. 그날따라 아이가 서서 자꾸 졸았다. 걱정이 된 아빠가 야단을 쳤지만 소용 없었다.

남편이 아이를 길에서 내리라고 하고 혼자 몇 미터를 가는 척 했었던 모양이다. 아이는 길거리에서 엄청 울었다고 한다. 그 모습을 본 지나가던 할머니께서 남편을 혼내면서 그날의 사건은 마무리가 되었다.

아빠에게 혼난 후 혼자 길에 버려진 기억이 아이에게는 잊지 못할 상처가 되었다. 고등학생이 되었을 때 문득 딸이 그날의 이야기를 했다. 어릴 적이라 기억하지 못할 거라고 생각했는데 내내 기억 한 구석에 자리 잡고 있었던 거다.

어른들은 아이와의 관계에서 항상 우위에 서려고 한다. 군부대보다 더 무서운 명령을 하달하듯 아이에게 자신의 생각을 전하고 아이가 따르지 않으면 협박하고 소리 지른다. 매를 들거나 나가라는 무서운 말을 하기도 한다. 길에 버려진 딸아이는 얼마나 무서웠을까?

생각을 하달하는 어른의 행동은 사실 아이를 하나의 인격체로 인정하지 않는데서 오는 문제다. 나 역시 아이들 우위에 선 어른이라는 자세를 취한 적이 있다.

"너네 이렇게 말 안들을 거면 나가! 옷도 엄마 돈으로 산거니까 다 벗고 나가!"

소리를 질렀다. 아이들의 잘못과는 아무 상관도 없는 옷을 들먹거렸다. 엄마이기 전에 어른이라는 위치에서 아이들을 혼낸 것이다. 그리고 가장 무서운 협박인 집 밖으로 내쫓기까지 해버렸다.

속으로 '이쯤에서 끝낼까?' 라는 생각을 하다가도, '아니 이번에 호되게 혼을 내야 다음에 실수도 안하고, 엄마 말도 잘 듣겠지.' 라고 생각했다.

"원래는 옷도 다 벗고 쫓겨나야 하지만 너희는 여자애들이니까 잠바만 벗고 쫓겨나는 줄 알아."

문 밖으로 내보냈다. 그리고 문을 잠갔다. 불안했다. 문에 귀를 대고 아이들 소리가 나는지 집중했다. 아무 소리도 나지 않았다.

불안감이 엄습했지만 기다렸다. 그런데도 계속 조용하자 초조해
지기 시작했다.

'누가 오는 소리는 안 났으니까 데리고 가진 않은 것 같고, 너
무 조용한 걸 보니까 반성하고 있는 건가?'

십 분정도 지나서 조용히 문을 열었다. '오늘만 용서해 줄 거니
까 앞으로 말 잘 들어야 해'라는 말까지 연습한 후였다. 그런데
문 밖에는 아무도 없었다. 심장이 쿵 내려앉는 줄 알았다. 나는 그
대로 문 밖으로 뛰쳐나가 아이들을 찾으러 다녔다.

아이들은 아이들이었다. 내 놀란 가슴을 아는지 모르는지 놀이
터에서 놀고 있었다. 황당했지만 그때 내가 웃고 있다는 걸 깨달
았다. '아이에게 무슨 일이 일어난 게 아니구나'하는 안도감과
'엄마에게 혼나도 저렇게 순수하게 웃으며 놀 수 있는 게 아이들
이구나'하는 생각 때문이었다.

감정을 앞세우는 화는 아이를 향하는 게 아니라 내 자신에게 돌
아온다. 그 상처는 또 다른 모습으로 아이를 향하는 무기가 된다.
제일 먼저 엄마 자신의 감정을 읽는 연습이 필요하다.

나는 작년 9월부터 35사단으로 '인성함양을 위한 독서특강' 출
강을 나가고 있다. 전체 강의 진행뿐만 아니라 내무반 자유토론까
지 진행하고 있는데, 처음 내무반에 들어갔을 때 흥미를 끈 게 있
었다. 나란히 놓인 두 개의 투명 유리컵이었다.

물이 담긴 유리컵에는 양파가 하나씩 들어있었다. 유리컵에는 '칭찬 받는 양파'와 '욕먹는 양파'라는 이름표가 붙어 있었다.

처음에는 '칭찬 받는 양파'가 더 씩씩하게 자라는 것처럼 보였다. 그런데 한 달 후에 다시 찾은 내무반에선 예상을 깨고 '욕먹는 양파'가 거의 대파 수준으로 쑥 자라있었다.

"우와! 한 달 동안 무슨 일이 있었나요? 욕먹는 양파 키가 더 자랐네요."

"아마도 누가 욕을 매일 한 것 같습니다."

한바탕 웃었다.

"그런데 욕을 얻어먹고도 어쩜 저렇게 잘 자랐을까요?"

"욕이라도 얻어먹어서 자랐을 겁니다. 칭찬 받는 양파에는 다들 무관심했는데 욕먹는 양파는 비록 욕이지만 관심을 주니 저렇게 자란 것 같습니다."

"무관심이 욕보다 더 무서운 거군요. 그래도 신기하네요. 욕을 먹고도 저렇게 자라있다니…"

"아마도 저 양파는 자존감이 강한 양파인 것 같습니다. 그러니까 욕을 듣고도 저렇게 강하게 잘 자란 게 아닐까 싶습니다."

"스스로를 잘 지켜내기 위해서는 자존감이 필요하나 봐요."

"맞습니다. 자신을 사랑하는 힘. 자신을 지키는 힘이 중요합니다. 특히, 군부대에서는 배려도 중요하고 상대를 칭찬하는 마음도 중요하지만 자신을 존중하는 자존감이 더 중요합니다."

화도 관심이 될 수는 있다. 하지만 그전에 관심을 통한 화라는 걸 아이들이 느껴야 한다. "너 잘 되라고 하는 거야."라는 말만으로는 부족하다. 화를 분출하기 전, 아이의 입장에서 받아들일 수 있는 말을 해야 한다.

화를 내는 엄마는 아이의 두뇌에 치유하기 어려운 깊은 생채기를 남기기 때문에 말 한 마디도 신중하게 해야 한다. 되도록 아이의 기를 살리는 말을 해야 한다. 하지만 더 중요한 것은 아이가 자신을 존중하고 사랑하는 법을 배우도록 키워야 한다.

어릴 적 부모와 생기는 애착형성은 인생을 살아가는 원동력이 되고 힘든 일이 생길 때 버팀목이 되어준다. 그 버팀목이 부서지지 않도록, 금이 가지 않도록 부모들은 조심해야 한다. 아니, 더 단단하게 묶어야 한다. 묶는 역할을 하는 건 바로 부모와의 대화이며 스킨십이다.

🌱 부모와 아이의 마음을 공감 대화로 엮어라

최근 뜨거운 감자는 단연 연기자 송일국의 세쌍둥이 대한, 민국, 만세다. 꼬마들부터 노인층까지 모두가 좋아하는 삼둥이의 인기비결은 뭘까?

귀엽게 생긴 외모, 연예인 아이들은 어떻게 자라는지에 대한 호기심, 삼둥이라는 희귀성이 시청자들의 관심을 끌게 된 이유다. 하지만 텔레비전 속 아이들의 태도와 말하는 걸 보면 사람들이 좋아하는 이유는 다른 데에 있다.

그 나이 때면 식당에서 정신없이 돌아다니거나 배고프다며 짜증내고 울어댈 때이다. 삼둥이는 그런 일이 없다. 아빠를 보채기는커녕 "이모님, 밥 주세요."라고 직접 말한다.

삼둥이들은 그냥 말을 '잘' 하는 게 아니고 예의바르고 예쁘게 한다. 어린 나이에도 상대를 챙겨주고 배려해주는 말을 할 줄 안다. 막내 만세가 물을 엎지르자 맏형 대한이가 티슈를 꺼내 바닥을 닦아주며 "내가 도와줄게."라고 말한다.

아빠가 아이들 밥으로 죽을 준비한 날이었다. 대한이가 죽이 뜨겁다고 했다. 아빠는 맏아들 대한이부터 차례대로 아이들의 죽을 식혀주고 있었다. 기다리는 틈을 이용해 만세가 노래를 시작하자 민국이도 따라하게 되었다. 우연히 노래에서 호랑이란 말이 나오자 릴레이 형식의 옛이야기를 만들어서 하기 시작했다.

그 사이 대한이가 먼저 죽을 먹기 시작했고 다음 만세가 먹고 있었다. 그런데 민국이는 옛이야기와 노래에 빠져 혼자 흥얼거리느라 죽을 먹지 못했다. 밥을 차려주던 아빠는 지치기도하고 배도 고팠던 모양이다. 아이의 죽을 식히는데 집중한 나머지 아이들이 이야기에 빠져 있다는 상황을 보지 못했다. 민국이가 밥을 먹고 싶지 않아서 하는 행동으로 이해했다.

아빠는 민국이의 죽을 다 먹어버렸다. 그리고 민국이의 턱받이를 빼면서 "식사시간 끝!"이라고 외쳤다. 이야기와 노래에 빠져서 흥겹게 있던 민국이 입장에서는 날벼락이었다. 갑자기 밥을 빼앗긴 민국이는 서럽게 울어댔다.

그러자 대한이는 맏형답게 "내거 줄게. 울지 마."라고 말하며 자신의 죽을 한 숟갈, 한 숟갈 덜어서 민국이의 밥그릇에 담아주었다.

서로를 아껴주며 사랑을 말로만 하지 않고 행동으로도 보여주는 아이들이다. 어떻게 사랑스럽게 안 보일 수가 있을까?

큰딸에게 내가 늘 강조했던 게 몇 가지 있다.

'남에게 피해주지 말기, 어른에게 인사 잘 하기, 예의 있게 행동하기, 말 예쁘게 하기.'

아이는 지나가는 어른들이나 시장 상인들에게 꼬박꼬박 인사를 잘 했다. 삼둥이보다 더 예의바르고 예쁜 말솜씨로 시장 상인들에게 사랑을 많이 받았다. 아마 아이는 본능적으로 알고 있었을 거다.

'내가 말을 예쁘게 하니까 사람들이 나를 예뻐하고 칭찬해주는 거구나.'

살아있는 교육이란 부모가 길을 터주거나 방향을 제시해주면 된다. 나머지 길은 아이들이 찾아서 간다. 부모의 역할은 아이와 손을 잡고 끝까지 길을 걸어가는 게 아니다.

'자녀 마주 이야기 교육법(마주 대하여 하는 이야기 교육법)'이 있다. 아이의 눈을 바라보고 해야 할 것과 하지 말아야 할 것을 단호하게 알려주고, 아이가 한 일을 충분히 칭찬해 주고, 나 외에 다른 사람도 옆에 있으므로 상대를 바라볼 수 있어야 한다는 걸 알려주는 교육이다.

올바른 길과 타인과 마주하는 옳은 방향을 일러주면 아이들은 예쁘게 타인을 배려한다.

〈마주 이야기, 아이는 들어주는 만큼 자란다〉 박문희 저자의 의견이다. 내 생각도 다르지 않다. 마주 이야기는 부모가 아이에게 전달하는 방법의 교육이기도 하고, 아이들 스스로 깨닫는 방법이다.

저자는 어린이집 원장이다. 하루는 아이들이 등원하는 길에 하는 대화를 우연히 듣다가 아이들의 말이 너무 재미있고 예뻐서 간직하고 싶다는 생각이 들었다고 한다.

아이들의 말 안에 우정과 나눔이 들어있었다고 생각했다. 말은 순식간에 사라지기 때문에 저 소중한 말을 어떻게 하면 잡아둘 수 있을까 고민하다 아이들의 재미난 말을 포함한 아이의 일과를 '마주 이야기'로 기록하기 시작했다.

어린이집에서는 원생수첩 역할을 하게 됐다. 이렇게 모여진 아이의 말은 글이 되면서 흘러가는 말이 아니라 아이들의 생각이 되었다. 아이의 생각이 그대로 담긴 생생한 글이 되어 책으로 완성되었다.

아이의 삶이 그대로 묻어나는 마주 이야기는 아이를 이해하고 가늠할 수 있는 자녀교육의 도우미 역할을 한다. 또한 아이의 눈높이를 맞추는 가장 효과적인 대화법이다.

나는 아이가 어렸을 때부터 마주 이야기 대화를 실천해오고 있다. 마주 이야기 프로그램이 있다는 걸 2004년에 알게 되었고, 전문적인 강의를 통해 배웠다. 그리고 수료증까지 받게 되었다.

마주 이야기를 배운 후 노트쓰기를 시작한 건 2005년이다. 딸과 나의 대화를 글로 쓰고 나면 재미난 책이 된다. 아이의 생각을 읽을 수 있을 뿐만 아니라 어떤 사건이 있었을 때 당시의 나의 감정을 읽을 수 있었다.

내가 화가 났을 때 어떻게 아이를 바라보고 어떤 어투로 말을 하는지 감정조절을 어떻게 하고 있는지 엄마 자신을 정확히 바라볼 수 있다. 엄마들을 만나면 "마주 이야기 공책을 꼭 만들어 보세요."라고 권장할 정도다.

내 권유로 마주 이야기를 쓰기 시작한 엄마의 글이다.

"야! 엄마가 코딱지 그만 파라고 했지?"

"왜?"

아이는 내 말을 이해하지 못했는지 계속해서 코를 파고 있었다.

"그만 좀 파라고. 더럽다니까. 도대체 왜 그렇게 코를 파는 거니?"

"코딱지가 너무 무거워서 그래."

아이의 상상력이 너무 귀엽고 예쁘다. 아이의 작은 코 안에서 커다란 코딱지가 나온다고 생각해 보면 코딱지가 무거운 것 같긴 하다.

이 엄마는 아이와 대화한 기록을 보여주면서 "내가 아이에게 성질내듯이 말하는 습관이 있더라고요. 아이의 이름을 부르기 보다는 '야'라고 불러요. 마주 이야기를 쓰니까 그 상황이 생생하게 떠오르고 무엇보다 나를 알 수 있어서 너무 좋아요."라고 말했다.

언젠가 커피숍에 앉아 있는데 바로 옆에서 아이의 교육에 대하여 이야기를 나누는 엄마들이 있어서 귀를 쫑긋 세우고 들은 적이 있다.

"우리 아이는 말만 좀 줄여도 그 시간에 공부를 두세 시간은 더 할 수 있을 거야."

"우리 애도 그래. 언제 한 번은 애가 그냥 보내는 자투리 시간을 계산해보니까 8시간은 되더라고."

나는 말을 줄이고 공부를 하면 좋겠다고 말한 엄마에게 공감할 수 없었다. 오히려 반대다. 큰딸은 집에 돌아오면 자신의 하루 이야기를 다 끝낸 후에야 방으로 들어간다. 등굣길부터 시작해 수업 때 있었던 이야기, 점심 급식 메뉴, 쉬는 시간 친구들이랑 있었던 이야기, 그리고 하굣길 이야기까지. 쫑알쫑알 자신의 하루 일과를 읊는 아이다. 할 일이 밀려있거나 일해야 하는 상황에서는 아이의 입이 언제 다물어지나 싶기도 했다.

하지만 아이가 이렇게 시시콜콜해주는 이야기는 아이가 지금 어떻게 성장하는지, 아이에게 어떤 친구가 있는지, 아이가 무엇을 좋아하는지, 아이에게 어떤 고민이 있는지 이해하는 중요한 단서가 된다.

이렇게 매일 학교 이야기를 하면 나중에는 할 이야기가 별로 없을 것 같지만 그렇지 않다. 아이의 이야기는 매일 다르다. 자신이 학교에서 특별히 배운 걸 나에게 설명하는 시간을 통해 아이는 자연스럽게 복습을 하기도 한다.

고등학교 국어 문법의 어려움, 과학의 깊이를 함께 공유하기도 한다. 물론 내가 이해하기 어려운 부분이 나올 때도 있다. 그럴 때는 어려운 걸 공감만 해줘도 충분하다.

이 방법은 지금도 사용하고 있다. 겨울방학동안 음악심리상담을 공부하던 아이가 잘 외워지지 않는 부분에 대해 말했다.

"엄마, 악기 중에 모차르트가 처음으로 사용한 악기가 있대."

"그런 게 있어? 그게 뭐래?"

"클라리넷이야. 이 악기가 바로크에 안 쓰이다 낭만파인 로코코에서부터 쓰인 거래. 그리고 금관악기인데 목관 5중주에 연주되는 악기 알아?"

"모르는데."

"호른이야."

이렇게 설명을 하면서 본인은 복습을 하고, 나는 새로운 것을 배우게 된다. 두 배의 학습효과를 내는 게 바로 마주 이야기 형식의 대화법이다.

우리의 옛 선조들은 자녀를 키우면서 마주 이야기를 했다. 유교적 상하관계가 엄격했던 시기다. 부모와 아이 사이의 거리감이 심했을 것 같지만 실은 시간이 날 때마다 아이를 불러 앉히고, 그날 배운 것을 말해 보게 했다. 그리고 그 말에 적절한 질문을 던졌다고 한다.

오고가는 대화 속에서 아이가 무엇을 어려워하고, 무엇에 호기심이 있는지 공감하는 교육을 실천했다. 옆에 끼고 앉아 아이에게 이래라, 저래라 하는 이야기 대신이다.

직접 질문을 하지만 아이의 한 걸음 뒤에 있다. 먼 산을 바라보듯 먼 시선의 범위 안에 아이를 두고 아이를 바라보는 교육이다.

"이것은 이렇게 해라. 이제 이걸 할 시간이다."처럼 부모가 원하는 길로 보내는 게 아니라, "이러한 것이 있는데 이런 방법으로 해보는 것은 어떠하냐?"라며 여러 길 중 아이 스스로 선택을 하도록 방법을 제시했다.

아이의 눈을 보고 아이가 스스로 생각하게 하는 대화, 아이의 이야기를 공감해주고 아이가 선택하게 하는 대화가 바로 마주 이야기인 것이다.

둘째 민국이의 죽을 송일국이 먹어버린 건 마주 이야기가 되지 않아서이다. 아이는 재미난 이야기를 하면서 아빠가 자신의 이야기에 귀 기울이고 있다고 생각했다. 하지만 아빠는 자신의 입장에서 '아이가 밥을 먹기 싫어서 그렇구나'라고 판단해버린 것이다.

아이를 보고 이야기를 듣는다 해도 부모 자신의 판단을 먼저 앞세우는 건 마주 이야기가 아니다.

아이가 고등학교 3학년 때까지 함께 나눈 대화를 적은 몇 권의 노트가 있다. 아이에게 필요한 격려의 말이 있기도 하고, 아이와의 대화를 그대로 적어두기도 했다. 큰 아이가 여름방학 후 수시 원서를 쓰며 힘들어했을 때 이 노트를 건네줬다.

아이는 한참을 읽더니 아무 말 없이 다시 자기소개서와 원서를 작성해 갔다.

'너 지금 힘들지?', '엄마가 옆에서 응원해줄게', '힘들지만 우리 함께 잘 이겨내 보자'라는 무언의 응원을 보내는 걸 충분히 느꼈으리라 생각한다.

시간이 지난 후에 아이가 말했다.

"엄마, 나 실은 그 노트 읽고 조금 울었어."

"슬픈 내용도 아닌데 왜 울었어?"

"몰라. 그냥 눈물이 좀 나더라고."

아이는 내가 쓴 마주 이야기 노트를 본 뒤에 자신만의 일기를 쓰기 시작했다. 꾸준히 일기를 쓰는 게 글쓰기에 좋다는 말에 엄마들은 억지로 시키기도 한다. 하지만 엄마가 먼저 이렇게 글을 쓰는 모습을 보여주면 아이는 따라하게 되어 있다.

며칠 전 아이가 고등학교 1, 2학년 때 적어둔 노트를 보여줬다. 노트 중간 중간 서울대 마크가 그려져 있었다. 당시 사용하던 교재와 노트에도 모두 서울대 마크가 그려져 있었다. 아이가 가장 간절해 했던 꿈이었다. 그리고 아이는 그 꿈을 이루었다.

아이가 꾸는 꿈을 위해 부모가 해야 할 역할이 있다. 꿈이 현실이 될 수 있도록 바탕을 마련해 주는 것이다. 바탕의 크기를 마련해주고, 바탕의 본질을 마련해주는 일이다. 마주하는 이야기만으로도 충분히 시작할 수 있다.

🌱 생각의 조각을 연결하기

아무것도 없는 것에서 새로운 것이 나오지 않는다. 그래서 무에서 유를
창조한다는 것은 어불성설이며, 거짓이다.

— 김정운 저자, 〈에디톨로지〉

갓난아이들이 누워 있을 때의 모습을 잘 살펴보면 자신의 손과 발을 만지고 입에 집어넣는 행동을 종종 볼 수 있다. '이 녀석들은 뭐지?'라는 표정으로 입 속으로 자신의 손과 발을 집어넣고 탐색한다.

인간의 첫 번째 감각기관이 입이라고 한다. 갓난아이들이 탐색할 수 있는 최고의 행위는 입 안으로 넣는 행위다. '이 녀석은 적

이 아니다.'라는 생각에서 '이 녀석을 잘 써먹으면 좋겠군.'이라
고 결론을 내리고 자신의 손발과 연맹을 맺는다.

구석기시대의 인류도 이런 과정을 거쳤다. 네 발로 기어 다니다
두 손을 사용하게 되면서 발전을 거듭했다. 도구의 발견과 사용이
시작이었을 테지만 손은 사람과 사람을 연결해주는 매개체로도
쓰여졌다.

구석기시대 인류가 사용하게 된 손은 인간이 사회적 동물이 되
도록 도와주는 가장 큰 역할을 했다. 악수를 하고, 포옹하고, 그림
을 그리고, 물건을 만드는 활동 모두 손을 통해 이루어졌다.

인류는 '생각'을 하게 된 이후, 구석기에서 신석기로 향하는 혁
명의 시대를 맞이하게 된다. 신석기시대 인간이 가장 크게 맞이한
변화는 더 다양하고 특별한 도구의 사용에 있다. 뭉툭한 도구에서
날카로운 도구로 변화한, 자연의 도구에서 생각을 통해 만들어진
도구로의 변화였다.

'동물을 사냥하려면 좀 더 날카로워야 해. 그럼 뾰족하게 만들
어야지.'

'물고기가 많아졌는데 창으로 한 마리씩 잡으니 아쉽네. 그럼
한 번에 잡을 물건을 만들자.'

'어떤 걸로 어떻게 만들면 될까?'

'산에서 줄기를 뽑아 엮어보자.'

인간은 생각을 하면서 그물을 만들고 옷감도 만들었다.

이런 작은 생각들의 변화는 창의적인 도구를 만들어냈다. 생각의 힘이 확산되는 시대였고, 꼬리에 꼬리를 무는 질문이 새롭고 창의적인 도구를 만들었다.

'그래서', '어떻게?'라는 질문을 던지는 방법을 아이에게 썼다. 꼬리에 꼬리를 무는 생각의 조각 '브레인스토밍'이 내가 아이의 말과 생각을 자극시키기 위해 했던 교육법이다.

"구석기시대에 사람들은 어디에 살았을까?"

"동굴"

"진이는 이 시대 사람들이 동굴에 산 걸 어떻게 알았어?"

"책에서 봤지."

"책에서? 구석기시대는 글이 없던 시대인데 누가 그런 내용을 글로 써 놨을까?"

"……"

"그럼, 진이가 구석기시대로 간다면 어디서 자고 싶어?"

"나는 나무 위. 높아서 적이 오는 지도 볼 수 있고, 적이 와도 높아서 안전한 곳."

"와! 그것도 좋은 방법이네. 근데 뱀이 나무타고 올라오면 안전하지 않을 텐데…"

"어? 큰일이네. 그럼 나무 아래 큰 바위 위! 나뭇잎을 많이 모아서 침대 매트리스처럼 그 위에서 자는 건 어떨까?"

"와! 그것도 좋다. 매트리스도 있고. 근데 진이는 여기저기서 잘 곳을 생각하는데, 왜 구석기시대 사람들이 어디에서 살았을까 물어봤을 때 바로 동굴이라고 대답했어?"

"그건 책에서 그렇게 나왔으니까. 생각해보면 잘 곳은 많은 것 같애. 근데 왜 책에서는 동굴이라고만 했을까?"

"그럼 진이가 생각해봐. 왜 동굴이라고만 썼을까?"

"여러 개 쓰기 귀찮으니까 대표적인 걸로 동굴을 썼나봐."

"그럼 왜 동굴이 대표적이야?"

"음… 아! 동굴은 사람이 살았으니까?"

"사람이 산 걸 어떻게 알았지?"

"사람이 동굴에 그림을 그렸잖아."

"그렇구나. 그래서 동굴이 대표가 되었구나. 그럼 나무 위나 아래, 바위는 왜 대표에서 탈락되었을까?"

"사람이 안 살았나? 동굴 그림처럼 사람이 산 흔적이 없나?"

"그렇구나. 엄마 생각엔 너처럼 그런 곳에서 자고 싶었던 친구들이 그때도 분명히 있었을 것 같은데. 왜 흔적이 없을까?"

"나무 가지가 좁아서 그리기가 힘들었고, 나뭇잎에 그림을 그려도 바람에 다 날아가서 없어진 게 아닐까?"

"그래. 글이 없어서 엄마도 잘 알 수는 없지만 아마 나무나 나뭇잎은 다 날아가서 사라지거나 오랜 시간이 지나 썩어버렸을 것 같아."

"아! 그래서 나무를 썼을지도 모르지만 돌을 썼다고 말하고, 여러 곳에서 잤을지도 모르지만 동굴에서 잤다고 하고 그러는구나. 글이 없어서 우리가 다 생각해야 하니까 흔적이라도 있어야 알 수 있으니까?"

"아마 그런가봐. 우리 딸이 생각을 잘하네."

나는 이렇게 생각에 생각의 꼬리를 무는 질문으로 아이 스스로 알맞은 답, 논리적인 대답을 할 수 있도록 유도했다. 영화를 보거나 텔레비전을 보면서도 작은 질문을 던진다. 영화를 볼 때는 그 시대적 배경과 그 인물에 대해 생각을 나눈다.

중요하다고 생각하는 질문, 정답이라고 생각하는 질문만 하다 보면 아이가 학습적인 부담감으로 느끼는 경우가 있다. 되도록 사소하고 작은 질문에서 시작해야 한다. 배우의 표정이나 움직임이 적절한지에 대한 질문이나 '너'라면 어떻게 할지 묻는다. 가끔 배우 따라 하기와 같은 걸 시키기도 한다.

얼핏 보면 불필요한 질문처럼 보일지 모르지만 이것은 아이의 감정표현을 연습시키는 과정으로 의도된 질문이다. 이런 질문을 하다 보면 시사문제와 연결되거나 다른 영화의 한 장면 혹은 다른 도서와 연계되는 확산의 효과도 본다.

최근 남자 아이들에게 인기가 많아 고가에 예약판매 된다는 로봇이 있다는 말을 들은 적 있다. 내가 엄마라면 절대 'NO'할 일이지만 아들을 가진 많은 엄마들이 줄을 서서 기다려 로봇을 산다고 한다.

내가 'NO' 하는 이유에 대해 생각해본 적이 있다. 혹시 내가 엄마로서 문제가 있는지 말이다.

일단은 고가라는 이유로 'NO'다. 두 번째는 완제품에 가까운 물건이라 'NO'다. 다음은 아이가 보채서 사줘야 한다는 게 'NO'다. 그리고 모든 애들이 갖고 있고 유행이라는데 우리 아이만 없어서 사주고 싶어 하니까 'NO'다. 마지막은 그 로봇이 과연 몇 시간이라는 에너지를 소비할 만큼 기다릴 가치가 있는지 의문이 들어서 'NO'다.

이런 장난감을 사주는 게 문제 엄마라거나 아무 생각이 없다는 뜻은 아니다. 다만 나의 경우가 이렇다는 거다. 당연히 사줄 수 있는 여건이 되거나 사줘서 활용도가 높다면 사줄만 하다. 특히, 아이와 로봇에 대해 찾아보고 함께 스토리를 만들어 놀아줄 수 있다면 더더욱 사줄 가치가 있다. 이럴 때 필요한 건 앞서 얘기한 마주이야기이거나 질문을 던지는 브레인스토밍이다.

훌륭한 요리사와 평범한 요리사 이야기가 있다. 하찮은 재료를 주면서 요리를 하라고 했을 때 평범한 요리사는 재료 탓을 하면서 못하겠다고 한다. 하지만 훌륭한 요리사는 그 안에서도 적절한 재료를 찾아 요리를 시작했다고 한다.

완벽한 것에서 성공하는 일도 가치가 있다. 하지만 내 눈앞의 악조건 속에서 성공을 만들어 가는 것이야 말로 가치 있는 삶이다.

눈앞에 아무렇게나 펼쳐진 조각을 재배치하여 자신만의 조각보를 만들 수 있는 아이로 만들어야 한다.

언어유희로 말랑한 뇌를 만들어라

지금과 달리 아무것도 없었던 선사시대, 사람들은 혹독한 기후를 이겨내고 열악한 환경을 개척하기 시작했다. 불의 중요성을 인식하고 도구를 만들어 사용했다. 돌뿐만 아니라 주변에 있는 여러 가지를 이용해 새로운 도구를 끊임없이 만들었다. 더 날카롭고 더 편하게 사용할 도구를 생산하기 시작했다.

우연히 겹친 필연처럼 인간은 돌에서 청동이란 도구를 만들어 도구의 특별함을 알게 된다. 청동에서 철기로의 변화를 통해서 더 웅장한 역사를 만들어냈다. 삶의 모습은 확연히 변화되었다.

김정운 저자의 책 〈에디톨로지〉에는 '과연 무(無)에서 유(有)로 된 것이 있나?'라는 질문이 있다. 인간은 무에서 유를 창조할 수 없다. 무에서 유를 만들어 내는 게 신의 영역이라면 인간은 주변에 있는 무수한 베이스를 편집하여 창의적인 활동을 만들어내는 것이라고 설명한다.

무에서 유를 만들 수 없다면 도구가 없던 인간이 도구란 개념을 만든 건 어떻게 설명할 수 있을까? 돌은 이미 존재했다. 이건 무에서 유라는 창조에 해당되지 않는다. 하지만 도구라는 개념은 순수한 인간 창조로 읽을 수 있다.

그런 의미에서 '언어유희'는 사람의 생각을 깊고 넓게 만들어주는 순수한 인간만의 도구라는 생각이 든다.

아이들과 하는 언어유희는 아이의 성장에 중요한 역할을 한다. 엄마들은 아이 앞에서 수 만 번씩 '엄마'를 반복해서 말해준다. '엄마'라는 소리를 따라할 수 있도록 말이다. 아이의 뇌 속에 엄마는 이미 존재하지만 언어로써 발화하는 '엄마'는 노력의 대가다. 언어에 개념이 생기도록 하는 방법 중 가장 중요한 건 반복이며, 재미이다. 그러고 나면 '의미'가 생성된다.

엄마의 의미를 지닌 소리는 본능적이다. 먹는 것과 자신을 보호하는 첫소리 음이 비슷하다. 입술소리인 '음(m)'의 성향을 지닌다. 우리말의 '맘마'와 '엄마'가 그렇다. 할 말이 막혔을 때 '음' 하고 내는 소리와 비슷하다. '먹다', '마시다'도 모두 입술소리로 시작된다.

아이들은 맘마를 주는 존재가 엄마라는 걸 안다. 가장 기본적인 소리인 먹는 것과 보호자인 엄마 소리를 먼저 익힌다. 엄마를 의미하는 단어도 세계적으로 비슷한 소리를 낸다.

엄마, 마마, 맘, 뮤터, 마미, 마망, 마드레……

모든 단어가 처음 소리를 낼 때, 가장 쉽게 소리 나는 입술소리로 난다.

반복으로 입을 튼 아이는 그 다음에 자신에게 중요한 것을 찾는다. 아빠, 형아, 아니, 그거……. 이제 단어를 알수록 자신이 원하는 것을 소유할 확률이 높아진다는 것을 눈치 챈 아이들은 본능적으로 더 많은 언어를 갈망한다. 언어의 갈망이 있을 때, 아이의 호기심도 극에 달한다.

"이건 뭐야?"

"왜?"

"어떻게?"

끝없는 질문을 던진다. 이런 중요한 시기를 놓치지 않기 위해 아이가 좋아하는 것을 파악해 놓는 게 중요하다.

이 시기에는 놀이로 언어를 접근시키는 것도 하나의 방법이다. 차에 관심이 있는 아이, 공룡에 관심이 있는 아이, 음식에 관심이 있는 아이 등 관심과 관련한 어휘를 다양하게 익힐 뿐 아니라 언어적 브레인스토밍을 경험한다.

어떤 아이가 파충류를 너무 좋아해서 파충류 관련 책을 모두

가지고 있었다. 그 아이는 우리나라에서 출판되는 대부분의 책을 독파하고도 책을 더 읽고 싶어 했다. 부모는 외국에서 나오는 책을 사 선물했다고 한다.

처음엔 영어를 모르니 그림만 보고 부모에게 내용을 설명해 달라고 했다. 부모는 간단한 내용을 알려주면서 "네가 이 내용을 알고 싶으면 영어를 직접 공부해서 읽어야 해. 엄마가 영어를 잘 몰라서 설명이 힘들어."라고 말하자 아이는 스스로 영어를 공부하기 시작했다.

아이 입장에서는 궁금하고 좋아하니 스스로 즐겁게 공부를 했다. 3년 후에 전문가용 원서를 읽기 시작했고 그마저도 부족해 인터넷의 다양한 사이트를 방문하여 새로운 정보를 수집해 나갔다. 부모도 아이를 위한 노력을 했다. 집에 파충류를 키울 수 있는 환경을 만들어 줬다.

아이는 관심과 재미를 통해 언어 심화과정으로 자연스럽게 넘어갔다. 물론, 이 부모는 아이가 원하는 걸 해 줄 경제적인 능력도 있었고, 영어를 읽어주는 도움을 줄 능력도 있었다. 단 가까이에서 모든 걸 도운 게 아닌 적당한 거리를 두고 아이를 도왔다. 부모는 아이의 언어와 뇌를 키워주는 방법을 알고 있었다.

그러나 이 아이의 관심을 부모가 알아채지 못했다면? 혹은, 아이의 관심을 알았어도 "무슨 파충류냐? 무섭게 누가 뱀을 집에서 키워?", "엄마는 파충류 징그러워서 싫어." 하면서 아이의 관심을 어른의 관점에서 끊어버렸다면 어땠을까? 아이의 호기심은 그대로 끊어지고 마는 것이다.

어른들의 언어는 아이의 뇌에 굳게 박힐 때가 있다. 어른들이 생각 없이 내뱉는 말이 종종 아이의 생각인 것처럼 세뇌되기도 한다. 어른의 선입견이 그대로 아이에게 옮겨진다.

앞서 말했던 "공부를 안 하면 거지처럼 산대."라고 말한 아이의 말은 아이의 생각이 아니다. 그저 세뇌된 어른의 말이다.

그 아이에게 "아니야. 공부대신 좋아하고 잘하는 일을 찾아서 성공한 사람들도 있어. 모두 거지가 되는 건 아니야."라고 말해 줬더니 "이상하다. 우리 엄마가 그랬는데……."라며 내 말을 의심했다.

"좋아. 그럼 과학자 중 유명한 사람에 대해 이야기해볼까? 알고 있는 과학자가 누구니?"

"에디슨, 장영실이요."

"그럼 일단 그 사람들에 관련된 책을 좀 읽어볼까?"

아이들에게 직접 비교할 수 있는 기회를 주기 위해서는 아이가 아는 위인이나 사건을 통해 알려주는 게 효과적이다. 아이가 아예 모르는 이야기로 시작하면, 아이는 지어낸 이야기라고 믿으려 하지 않을 수 있다.

위인전을 읽은 후 다시 질문을 던졌다.

"에디슨은 학교도 제대로 나오지 못했어. 그런데 어떻게 됐지?"

아이는 내 질문에 '이건 뭐지? 어떻게 이런 일이 일어났지.'라는 표정을 지었다.

아이들은 너무 순수하기 때문에 어른들의 언어가 채에 걸려 지지 않는다. 어른들의 생각이 담긴 언어를 그대로 자신의 것으로 만들기 때문에 조심해야 한다.

언어는 반복과 재미를 통해 나의 것이 된다. 언어를 통해 사고력이 자라나게 되고, 언어적 사고는 꿈이나 능력이 된다. 이 과정에서 필요한 건 부모의 관심과 아이에 대한 관찰이다. 아이와의 관계를 유지하기 위해 대화를 해야 하는 게 먼저다.

아이와 쉽게 할 수 있는 언어놀이는 바로 끝말잇기다. 가족이 한 자리에 모여 함께 할 놀이로 최고다. 그날 생각나는 단어나 아이가 했던 말 중에 관심을 가졌던 말로 끝말을 잇게 하는 방법이 좋다.

끝말잇기를 많이 해 본 아이라면 아이가 좋아하는 단어나 책 제목을 하나 정한 후에 아이와 첫 글자로 시작하는 단어만 말하게 하는 게임방법도 좋다.

예를 들어 '장진이'란 단어를 갖고 하는 경우 '장'으로 시작되는 단어만 말하는 거다. 장마, 장모, 장님, 장독대, 장수, 장가, 장조림, 장사, 장판⋯ '앞가지 말'을 뻗어나가게 한다.

다음은 '뒷가지 말' 뻗기로 '장'으로 끝나는 단어만 말하기까지 변형이 가능하다. 이런 게임을 반복적으로 하다 보면 아이의 어휘력은 발전한다.

다음으로 많이 하는 게임은 일명 '꼬리말 잇기' 노래다.

"원숭이 엉덩이는 빨개. 빨가면 사과. 사과는 맛있어. 맛있으면 바나나. 바나나는 길어. 길으면 기차. 기차는 빨라. 빠르면 비행기. 비행기는 높아. 높으면 백두산…"

어릴 적 누구나 했던 이 말놀이는 단어를 형태와 모양으로 뻗어나가 아이의 상상력을 자극한다.

제주도를 배경으로 쓴 〈시리동동 거미동동〉이 '꼬리말 잇기' 그림책이다. 이 말놀이는 노랫말처럼 직접 지어가는 과정이다. 창의적인 놀이로 이어지고 그림놀이도 할 수 있어 다양한 창작놀이가 가능하다.

다음으로 아이들과 많이 했던 어휘 놀이는 속담놀이다.

속담을 스케치북에 써놓고 작은 아이가 몸으로 속담을 표현하면, 큰 아이가 맞히는 게임을 했다. 다른 방법으로는 속담의 초성을 알려 준 후 간략한 단서로 무슨 속담인지 맞추게 하기도 했다. 힌트를 주는 방법도 아이들이 스스로 만들어 낸다. 속담놀이가 어느 정도 진행되면 속담의 뜻을 알게 하기 위해 이야기를 나눈다.

관련도서를 이용해서 설명하는 방법도 좋고, 생활 속 상황을 제시하여 스스로 알게 하는 방법은 더더욱 좋다. 종종 비슷한 속담이 있으면 비교해서 알려주기도 하고 사자성어와 연결시키기도 한다.

아이들에게 속담이나 사자성어를 알게 하는 건 유익하다. 어려운 말을 더 많이 안다는 것과는 다른 유익함이다. 속담이나 사자성어는 옛 사람들 삶의 지혜가 녹아있다. 지혜를 이어 받고 생각과 환경을 가늠할 수 있는 가치 있는 문장으로 단순한 의미가 아닌 사람과 사람, 사람과 세계의 살아있는 관계를 형성한다. 이 유익함은 아이들에게 시너지를 창출하는 일이다.

언어를 풍부하게 만드는 놀이로 '움직씨와 이름씨 찾기 놀이'가 있다. 사물의 이름을 써두고 그와 어울리는 동사를 생각하게 하는 방법이 '움직씨 찾기 놀이'고, 동사를 써두고 그에 어울리는 명사를 생각하는 하는 방법이 '이름씨 찾기 놀이'다.

예를 들어 '가슴이 ○○○○.'라고 써두고 빈칸을 완성하는 만드는 방법이다. 아이들은 '크다, 작다, 아프다, 뛴다, 따뜻하다.'등 여러 동사를 자연스럽게 연상한다. '○○○○ 먹다.'라는 문장을 보여주면 아이들은 '과자, 밥, 마음, 꿈.'등 다양한 단어를 생각해낸다. 빈칸을 채우는 놀이를 통해 동사와 명사의 수를 확장시키면서 추상명사까지 자연스럽게 받아들인다. 더 나아가 적극적인 상상력까지 얻게 된다.

이 활동은 전북에서 마주 이야기를 적극적으로 알리고 있는 한경순 선생님의 도움을 많이 받았다. 아이들의 적극적인 언어활동을 기대할 수 있는 놀이 방법이다.

아이들뿐 아니라 어른들에게도 언어는 중요하다. 세 살 버릇 여든 간다고 아이의 언어를 소중히 여기고 사랑이 담긴 언어를 많이 알려주면, 사람을 향해 자라게 된다. 언어로 쌓은 아이의 바른 인성은 남을 존중하는 아이로 자라나게 된다. 자연스럽게 남에게 존중받는 사람이 된다.

말을 바꾸게 하면 생각이 바뀌고, 생각이 바뀌면 행동이 바뀌고, 행동이 바뀌면 인격이 바뀐다.

온몸으로
아이와 접속하는 방법

    십 원, 백 원 절약한 끝에 드디어 단칸방에서 방 2개와 부엌, 거실, 욕실이 딸린 집으로 이사를 했다. 2층으로 된 단독주택 1층집이었다.

    아침이 되면 나는 아이와 신나는 놀이로 하루를 시작했다. 창문을 활짝 열었고, 옥상에 올라가 이불을 널었다. 나는 방망이로 아이는 먼지 털이로 이불을 털면서 난타공연을 능가하는 쇼를 했다. 신나는 댄스 음악을 틀어놓고 막춤 스테이지를 즐기기도 했다.

    빨래를 널다가도 노래를 따라 부르며 춤을 췄고 조용한 클래식에 맞춰 춤을 추기도 했다. 내가 좋아하는 캐논을 틀어놓고 차를 마시며 아이와 눈을 맞추는 시간을 갖기도 했다.

음악으로 아이와 더 좋은 시간을 가질 수 없을까 고민했다. 뚜렷한 답이 나오지 않았다. 나는 고민을 끝내고 행동으로 시작했다.

음악을 틀어놓고 음악의 흐름에 맞춰서 몸으로 표현해 보기도 하고, 음악의 리듬을 선으로 그리기도 했다. 아이가 그린 선은 아이 감정에 따라 곡선이었다가 직선이 되기도 하며, 부드러운 강물 같다가도 가파른 산 같기도 했다. 기분에 따라서 선의 색이 밝기도 하고 어둡기도 했다. 이렇게 음악을 미술로, 몸으로 나타내는 활동을 했다.

내가 좋아하는 교육법은 공감을 끌어당기는 것이다. '자녀 촉감 교육법'에 들어가는 방법 중 하나로 온 몸을 흔드는 교육, 일명 '나를 따라 해봐요. 요렇게' 라는 놀이법과 같다.

이때 자주 사용했던 물건 중 하나가 털실이었다. 털실을 굴려 풀기도 하고, 다시 감기도 했다. 털실을 잘라서 여러 모양을 만들어 보여주기도 했다. 털실은 포근한 촉감까지 느끼게 해주니 아이의 장난감으로 제격이었다.

털실을 몸에 감기도 했다. 잘라진 털실로는 실뜨기를 했다. 털실에 물감을 묻혀서 스케치북에 선을 표현하면서 자연스럽게 멋진 작품 활동이 되었다. 우린 마치 털 뭉지를 가지고 노는 고양이 같았다.

보자기와 신문지를 가지고도 자주 놀았다. 보자기로는 다양한 창의성을 기르는 활동을 했다. 보자기가 망토가 되기도 하고, 이불이 되기도 하고, 가방이 되기도 하고, 예쁜 조끼가 되기도 했다.

나는 보자기를 접어서 아이 얼굴에 감싸기도 하고, 스카프처럼 멋을 내기도 하고, 공주의 드레스라고 멋을 부려보기도 하고, 고대 그리스 사람들처럼 옷을 벗고 보자기만 둘러서 킥킥 거리며 집을 돌아다니기도 했었다.

신문지를 돌돌 말아서 창의력 활용 도구로 사용했다. 신문지는 야구 방망이가 되기도 하고, 지팡이가 되기도 하고, 효자손이 되기도 했다. 신문지로 회초리를 만들었다면서 김홍도 작품 〈서당〉을 흉내 내기도 했다. 청소도구 흉내도 내고, 망원경인척 하며〈보물섬〉책표지 흉내도 내고, 귀이개라며 귀를 파는 척 할 때도 있었다.

어느 날은 신문을 돌돌 말아, 김밥이라고 정하고 빵 역할을 하게 된 털실뭉치를 보자기에 싸서 옥상으로 소풍을 가기도 했다.

말 그대로 몸을 움직이는 활동에 작은 물건을 더해서 상상자극 놀이를 했다. 우리 집은 그야말로 '상상 놀이터'였다.

큰딸이 태어날 때 병원에서는 수술을 권했다. 나는 수술비 걱정과 자연분만을 하고 싶다는 욕심에 수술을 거부했다. 그러다 갑자기 양수가 터지고 나는 쓰러졌다. 잠깐 정신을 잃은 사이 태아에게 산소 공급이 되지 않는 위험한 상황까지 가게 되었다.

아이는 끝내 제왕절개 수술로 태어났다. 다행히 아이는 건강했지만 나는 건강이 악화돼 거의 매년 정기적으로 입원을 해야 했다. 병원에 자주 입원할수록 아이와 있는 짧은 시간이 아쉽기만 했다.

워킹맘들은 아이와 함께 있어주지 못하는 것에 고민을 한다. 나역시 공감한다. 다만 위로 되는 말이 있다면 '양보다 질'이라는 말이다.

제왕절개 수술 후 퇴원하고 집에 돌아간 날이었다. 친구에게서 포도모빌이 소포로 도착해 있었다. 모빌에 달린 음악을 켜주면 아이는 비행을 하듯 행복해했다. 아이의 움직임이 지금도 눈에 선하다. 어릴 적부터 노래와 춤으로 아이를 키워서인지 아이는 중·고등학교 때 '팝송 부르기 대회'에 참여하여 상을 타왔다.

아이들이 크고 나서는 가족끼리 노래방을 자주 갔다. 미친 듯이 노래를 하고 춤을 추다가 기진맥진한 채로 집으로 돌아왔다. '가족 미니 팝송대회'를 준비한 적도 있었다. 각자 팝송을 하나씩 부르는 미니 대회였다. 노래방기기의 점수로 등수를 매기기로 했었는데 역시나 두 딸을 당할 수 없었다. 남편과 나는 가사를 외우려고 하면 음이 틀리고 음을 맞추려고 하면 가사를 잊어버리고 정말 가관이었다.

엄마들은 아이가 태어나면 다른 아이들보다 하루라도 먼저 뒤집기를 하고, 걷기를 바란다. 이렇게 생기는 엄마의 경쟁 심리는 아이의 행복에 창을 던지는 일이다.

모든 일이든 조급하게 생각하지 말아야 한다. 내가 아이를 통해 욕심을 내고 싶다면, 최대한 놀이를 통해야 한다. 아이에게 즐거운 일이 되어 스스로 움직일 수 있도록 말이다.

이기동 저자의 〈중용〉이 독자에게 하고자 하는 말은 결국 '정성'이다.

모든 일에 정성을 다하는 것은 상황에 맞게 물 흐르듯이 자유롭게 하는 일이다. 그렇게 되는 것이 바로 나의 마음이며 곧 하늘의 뜻이다. 하늘의 뜻이 나의 마음과 같다는 것은 다시 말해 나의 마음을 온전히 아는 것이고 그렇게 되면 남의 마음도 온전히 알게 되며 모두가 한 마음이 되는 것이라고 한다. 바로 순수한 마음을 갖는 것이다.

아이의 마음이 곧 순수한 마음이다. 그런 아이에게 엄마의 욕심이 끼어드는 순간 아이는 아이다운 순수함을 잃게 된다. 상황에 맞게 물 흐르듯이 자유롭게 해야 한다는 걸 잊으면 안 된다.

단칸방에서 살던 시절과 방 2칸짜리 집에서의 시절을 더 그리워하는 건 바로 이런 이유에서이다. 그곳에 살면서 간혹 불평과 불만이 나왔지만, 아이가 보고 배울 수 있는 어른들이 더 많았고 아이들끼리 비교하고 경쟁하는 분위기는 없었다.

나는 아이를 천천히 관찰하고 바라봐 줄 수 있는 시간을 그곳에서 보냈다. 내 마음에서 욕심을 빼고, 아이와 눈을 맞추는 것이 바로 중용에서 말하는 순수가 아닐까? 그 순수한 마음이 자녀교육으로 이어지면 된다.

순수한 마음으로 아이의 기저귀를 갈아줄 때, 이유식을 먹이고, 아이를 씻길 때 아이와 눈을 마주하고 옹알이에 대꾸를 해준다. 영유아 시기에는 어느 엄마나 이렇게 할 것이다. 하지만 요즘에는 영유아 시기에도 각종 프로그램을 시키고 엄마의 욕심으로 아이를 키우려고 한다. 오죽하면 돈을 벌고 싶다면 영유아를 대상으로 하는 프로그램을 만들라는 말이 나올까 싶다.

놀이는 그 자체로 교육이 된다. 김정운 저자의 〈노는 만큼 성공한다〉는 제목만으로도 나를 공감하게 만든다.

송유근이라는 천재 아이는 어렸을 때 하던 일이라고는 매일 몇 시간씩이고 개미가 지나가는 것만을 말없이 지켜보는 거였다고 한다. 개미가 어떻게 집을 찾아가는지 어떻게 줄을 지어 가는지 신기해서 보고 또 보고 했다고 한다. 어른들이 보기에 답답하고 이해받지 못한 아이는 어느 날 천재라는 이름으로 우리들 앞에 나타났다.

아이들이 행복하지 않은 이유는 무엇일까. 갈수록 똑똑해지고 있는 현대 시대에서 하고 싶은 게 없다는 아이들이 많아지고 있다. 아이들이 왜 행복하지 않고 하고 싶은 게 없을까에 대해 한참 고민했다.

바로 시간적 여유가 없기 때문이다. 주먹을 보고도 몇 시간씩 즐겁게 노는 영아들과 개미를 보고도 몇 시간씩 행복하게 지켜보는 유아들이 있다. 이렇게 시간을 갖고 하늘도 보고 나무도 봐야 하지 않을까.

박웅현 저자의 〈여덟 단어〉라는 책에 주목할 만한 대화가 있다. 놀이에 대해 새롭게 생각하게끔 만드는 구절이다.

누군가 물었다.
"계획이 뭡니까?"
저자는 말했다.
"없습니다. 개처럼 삽니다."
"개는 밥을 먹으면서 어제의 공놀이를 후회하지 않고 잠을 자면서 내일의 꼬리치기를 미리 걱정하지 않습니다."

자신이 '지금' 할 수 있는 일을 유일한 일이라고 여기고 최선을 다하는 게 필요하다. 공놀이를 할 때는 그 공이 우주라고 여기고 하나하나 온전하게 즐기면서 집중해야 한다. 지금이라는 순간을 즐기고 최선을 다하는 방법이 행복에너지가 넘쳐흐른다는 나의 교육적 철학과 같은 가닥이기도 하다.

태아는 엄마와 연결된 가는 줄 하나에 의지하고 자란다. 그러다 번지점프를 하듯 밑도 끝도 없는 벼랑으로 뚝 떨어지는 아찔한 경험을 한다. 다행히 엄마와 연결된 줄은 단단한 믿음과 사랑으로 만들어졌기에 아이들은 안전하다. 아이들도 그걸 알기에 작은 뱃속에서 밖을 향해 신호를 주는 게 아닐까 싶다.

하지만 번지점프를 해야 하는 사람이 극도의 긴장감을 갖는 이유가 있듯 아이들이 엄마와의 줄을 끊고 떨어져 나올 때 얼마나 큰 두려움을 안고 태어날까.

아이는 태어날 때 주먹을 꼭 쥐고 두려움에 울음을 터트린다. 열 달을 공유하던 줄을 잃어버린 아이는 엄마가 줄을 놓은 것인지, 자신이 놓친 것이지 의아해하며 의심으로 불안해할지도 모른다.

아마 영유아기 때 안정애착을 얘기하는 많은 전문가들은 이런 불신과 불안을 지닌 아이들에게 보호자의 따뜻한 손길이 중요하다고 이야기하는 게 아닐까싶다.

이것이야말로 바로 아이와 엄마의 몸이 맞닿아야 하는 이유이다. 아이와 엄마는 비싼 교구보다 맨몸으로도 부딪히는 몸짓에서 사랑이 오고가야 한다. 그 자체로 교육이 되는 이유다.

🌱 아이는 배운 대로 자란다

2014년, 그 누구보다 행복한 한 해를 보냈다. 큰딸이 장학금을 받고 서울대에 합격한 일로 주변 사람들로부터 넘치는 사랑과 축하를 받았다. 사교육 없이 아이를 키우며 들었던 비난의 목소리와 따가운 눈총에 혼자 걱정하고 두려워하던 시간을 모두 보상 받았다.

그 행복 속에서 둘째의 마음은 읽어주지 못했다. 둘째는 언니를 좋아하다 못해 존경하는 아이다. 언니의 합격에 당연히 기뻐하고 행복할 거라고만 생각했다.

둘째에게 뭔지 모를 변화가 생기는 걸 느꼈다. 사춘기인가 싶어 관찰을 했다. 알고 보니 주변사람들이 "진이는 큰일이네.", "진이

넌 이제 공부하려면 죽었다.", "넌 이제 엄마가 매일 잔소리 하겠다." 등의 이야기를 한 것이었다. 둘째는 혼자 스트레스를 받고 있었다.

아이에게 하는 말들이 이해되지 않았다. 언니가 좋은 대학에 갔으니 너도 그만큼 해야 한다는 말이었다. 사람들은 엄마가 죽으라고 공부만 시킬 게 분명하다고 얘기했다. 우리 집 아니, 나의 교육관을 모르는 사람들은 충분히 할 만한 생각들이다.

둘째가 뜬금없는 말을 할 때가 종종 생겼다.

"엄마, 나 문제집 사야 해"

"왠지 엄마가 나한테 무섭게 하는 것 같아."

"생각해보니 엄마가 나에게 공부하라고 잔소리를 많이 하는 것 같아."라는 식이었다.

큰아이가 자랄 때보다 공부이야기를 자주 하기는 했다.

큰아이는 어릴 적부터 함께 이야기하고 놀아주면서, 스스로 하루를 보내는 힘을 키워주었다. 둘째를 낳고는 건강이 안 좋아 언니 때만큼 놀이 교육을 하지 못했다. 그러다보니 다른 엄마들처럼 공부하라는 말을 자주 꺼내게 됐다. 버릇처럼 나온 말들이지 강요한 건 아니었다.

미안한 감정은 약점이 되기도 했다. 종종 아이는 나의 미안한 감정을 무기처럼 사용하기도 했다. 아이가 원하는 대로 다 해주려 하는 걸 알아차린 거다. 먹고 싶은 것만 먹어도 나무라지 않았고,

아이의 의견을 대체로 따라주었다.

아이는 6세 이후, 엄마의 감정을 약점으로 파악하고 이용했다. 자기 멋대로 하는 아이가 되어갔다.

어떤 엄마들은 돈이 없었던 때를 생각하며 아이에게 원하는 걸 다 사주기도 한다고 한다. 나도 아이에게 어릴 적 함께 해주지 못한 시간을 보상할 길이 없어 종종 미안해하고, 아이가 원하는 대로 해주고 싶어 했던 적이 있었다.

아이가 4살 무렵, 함께 버스정류장으로 가던 길이었다. 어느 신발가게에 갑자기 멈춰서더니 "엄마, 이 빨간 구두 예쁘다."라고 말했다. "그러게 진짜 예쁘다." 맞장구를 쳐줬다. 그랬더니 "그럼, 엄마 이 구두 예쁘니까 나 사줘."라고 말했다.

당황스러운 마음이 들었다.

"엄마 지금 돈이 없어. 그리고 이제 곧 겨울 되니까 구두 말고 다음에 운동화 사줄게."

아이는 갑자기 막무가내로 떼를 쓰기 시작했다.

"싫어. 나 지금 저거 사줘."

나는 눈을 마주치고 말했다.

"진이가 저거 정말 갖고 싶은가 보구나. 근데 엄마가 지금은 사주고 싶어도 사 줄 수가 없어. 남의 가게 앞에서 이렇게 계속 울고 있으면 안 되니까 집에 가자. 응?"

소용없었다. 거의 50여 분을 길에서 팔을 잡고 끌어 당겼다. 신발을 못 사고 집으로 갈까봐 힘쓰며 버티는 딸과 그런 아이를 집으로 데려가려는 나의 실랑이는 길어졌다. 결국 아이는 울다 지쳐 버렸다.

"그럼 다음엔 저거 꼭 사줘야 해. 집에 가서 있는 돈 다 가지고 다시 와야 해."라며 끝까지 약속을 받아내려고 했다.

엄마가 늘 자기에게 맞춰준다는 걸 알고 있는 아이, 엄마가 자기에게 뭔가 미안함을 갖고 있다는 것을 아는 아이였다. 끝까지 자기 고집을 꺾지 않았다.

둘째와는 애착형성도 충분히 이뤄지지 않았었다. 많은 유아교육학자들이 3세 이전 아동의 정서를 중요시 여기듯 아이의 어릴 적 양육자와 관계가 아이의 삶을 좌우한다. 어릴 적 애착형성이 아이의 성격과 가치관을 만들어내기 때문이다.

애착형성이 충분히 된 아이는 자라면서 부모와의 관계에 어려움이나 문제가 생긴다고 해도 부모를 잘 이해한다.

애착형성이 부족한 아이들은 부모보다 친구를 더 의지하고 따른다. 어려운 문제에 봉착하게 되도 부모에게 내색을 안 하는 착한 아이인척 하지만 실은 부모를 믿지 않기 때문에 말하지 않는 것이다.

그런 중요한 시기에 나는 둘째와 애착을 형성할 시간을 만들지 못했다.

둘째 출산 예정일 20여 일을 남기고 남편이 눈을 다치는 사고가 있었다. 처음엔 작은 티끌이 들어간 줄 알고 약국에서 간단히 안약만 처방해 와서 넣었다. 그런데 밤새 눈물이 줄줄 흐르며 멈추질 않고 앞이 잘 보이지 않는다고 하는 거다.

정말이지 가슴이 철렁 내려앉았다. 아침이 되자마자 택시를 타고 전주에서 제일 큰 안과병원으로 갔다.

병원원장이 말했다.

"도대체 왜 이제 오신 겁니까? 이거 잘못하면 실명됩니다. 여기선 수술이 어렵고 전북대학병원으로 가셔야 할 것 같아요."

큰애를 데리고 갔기 때문에 나는 울 수 없었다. 큰 수술을 받아야 할 상황이었지만, 실명할 자리를 0.1cm 차이로 빗겨가 불행 중 다행이라고 했다. 가슴을 쓸어넘겼다.

큰 수술을 마친 남편은 밤새 30분 간격으로 안약을 넣어야 했다. 수술 후 앞이 잘 보이지 않아 안약투여는 내 몫이었다.

아이가 오늘 내일 언제 나올지 모르는 만삭의 몸으로 병간호를 하기란 여간 쉽지 않았다. 어쩔 수 없이 큰애는 친정 부모님께 부탁했다. 나는 좁은 보호자 침대에 누워 쪽잠을 자면서 30분마다 안약을 넣기 위해 일어나야 했다.

둘째는 세상에 나올 준비를 하고 있었다.

도와주지 않는 시댁에 대한 원망과 불안한 상황, 체력이 방전된 내 몸까지… 내 마음은 부정적으로 변해가고 있었다. 얼굴도 점점 어두워졌다. 내 불안한 마음상태와 불편함을 뱃속에서 느꼈는지,

아이는 태어나서 작은 소리에도 크게 반응했고 쉽게 잠을 이루지 못했다.

커 가면서 작은 일에 감정 변화가 심했다. 내 마음이 아이에게 그대로 전이된 것만 같았다. 엄마의 생각, 행동, 상황 하나하나가 아이가 된다는 걸 그땐 잊고 있었다.

남편은 수술 후 '외상 후 녹내장'까지 겹쳐 그 후로도 2번이나 더 수술을 했다. 안구에 인공으로 렌즈를 삽입한 상황이어서 최소 6개월은 움직이면 안 된다고 했다.

수술이 끝나고 출산예정은 닷새도 남지 않았다. 모든 게 문제였다. 아이를 낳은 후 남편은 일을 할 수 없었고, 큰아이 개학일은 다가왔다. 둘째는 보호자 손길이 꼭 필요한 상황이었다. 어쩔 수 없었다. 나는 산후조리원을 가기로 했다.

산부인과와 함께 운영되던 조리원에 사정을 이야기했다. 그러자 제일 큰 방을 우리 가족을 위해 일반 병실 비용으로 내어주었다. 네 식구가 지내기에 넓을 정도였다. 얼마나 다행이고 감사한 일인지 모른다.

인사성 밝은 큰아이 덕에 우리는 병원에서도 예쁨을 받았다. 식사는 산모인 내 밥만 나와야 맞지만, 식당 분들은 남편과 큰 애를 위한 식사를 따로 챙겨줬다.

보름 간 그곳에서 몸조리를 하고 집으로 돌아왔다. 친정엄마가 종종 들려 국거리를 준비해 주셨지만 부족한 손을 메울 수 없었다. 며칠 내내 미역국만 먹었다. 그때 이후로 미역국을 싫어하게 됐다.

이런 작은 경험조차 우리 삶에 영향을 미친다. 경험은 대체로 다른 삶을 사는 결정적인 역할을 하고 긍정적인 선택을 하도록 돕는다. 하지만 종종 물에 빠진 사람의 발목을 잡고 있는 해초처럼 벗어나기 힘들게 만든다. 벗어나려 할수록 더 큰 고통과 두려움을 만들어 준다.

불안과 스트레스만 남아있던 시기였다. 난 둘째를 잘 돌보지 못했다. 아이에게 애정담긴 시간을 공유하지 못했다.

요즘 교육에서 가장 화두가 되는 것은 사교육과 자기주도 학습의 팽팽한 맞대결이다. 사교육은 이미 공교육의 영역을 올라타다 못해 넘보면 안 되는 곳까지 넘어섰다. 자기주도 학습은 좋다는 걸 모두 인식하지만, 실제 방법의 부재와 눈에 보이지 않는 두려움을 해소할 뚜렷한 방도를 내놓지 못하고 있다.

사교육이 필요한 아이도 있다. 어떤 아이는 학습지가 맞고, 어떤 아이는 학원이 맞고, 어떤 아이는 과외가 맞듯이 공교육 외의 학습방법은 다양하다. 사교육 선생님을 통해 전문적이고 깊이 있는 사고력을 얻는 경우도 있다.

실재로 공교육의 범위는 광범위한데 비해 시간에 쫓기는 현실적인 문제를 해결하지 못하고 있다. 깊이 있게 들어가는 심화학습이나, 연계학습을 고려하지 못하고 있다. 하지만 중요한건 모든 아이에게 사교육이 반드시 필요한 건 아니다.

교과목 중 사교육을 가장 필요로 하는 건 영어, 수학이다. 가장 필요하다고 느끼면서 어렵다고 생각하는 과목이다. 나도 아이에게 좋은 교육을 시켜주고 싶었다. 하지만 그대로 남들처럼 따라가는 건 내 방식이 아니었다.

나는 영어동화로 아이에게 영어를 가르쳤다. 외우고 반복하는 일반적인 학습은 집에서 함께 가능한 교육이다. 하지만 영어를 쉽게 마주하는 통로가 하나 필요했다.

아이에게 동화 테이프를 반복해서 듣게 했다. 한 문장씩 끊어서 듣고 따라 말하기, 듣고 따라 하기가 끝난 후엔 한 문장씩 녹음하기, 한 문장씩 녹음 후엔 문장 전체를 따라 하고 녹음하기, 테이프의 속도를 빠르게 하여 문장을 따라 말해보기까지……. 할 수 있는 방법은 모조리 동원했다.

싫어하거나 강제적인 방법이었다면 다시 고려해야 할 일이었다. 하지만 아이는 반복하는 학습에 즐거워했다.

그리고 영어자막이 나오는 비디오 활동도 병행했다. 아동용 영어동화는 문장도 쉽고 쪽수도 적어 활용이 쉽다. 큰딸과 같은 방법으로 3년 동안 공부를 한 학생은 교내 '영어말하기 대회'에서 1등을 했다. 영어에 자신감을 얻어 영어영문학과를 가게 되었다.

습관의 결과물은 상상이상이다. 더 나은 교육환경을 제공받을 수만 있다면 더 빠른 결과물을 얻을 수도 있다. 그러나 성실하고 꾸준하게 쌓은 학습 습관과는 확연히 다르다. 학습 습관은 단순히 공부를 위한 습관이 아니다. 아이가 시간을 관리하고, 중요한 것과 긴급한 것을 스스로 판단하는 능력을 만들어 준다.

자투리 시간을 활용하는 능력을 키우고, 스스로 공부할 계획안을 만드는 힘이 생긴다. 이것이 바로 자기주도 학습이다. 틈틈이 독서를 하고, 메모를 하고, 생각을 주저리주저리 말하고 공부할 시간과 놀 시간을 나누는 습관이 형성된다.

많은 학부모들이 사교육에 흔들리는 것은 바로 이런 학습 습관의 중요성을 간과하거나 알고 있지만 어릴 때 그 힘을 키워주지 못해서다. 둘째를 키울 때 나도 그랬기 때문에 그 유혹이 충분히 이해된다.

하지만 더 중요한 시기는 바로 이때다. 엄마의 교육이 성공하기 위해 가장 중요한 것은 '동조성향'에 휩쓸리지 않고 꿋꿋하게 아이의 정서에 맞는 교육의 한 기둥을 갖고 가는 것이다.

큰 아이를 키우면서 가장 신경 쓰였던 때가 있었다. 초등학교 입학 한 달 전과 중학교에서 국어, 영어, 수학 위주의 학습을 요구할 때, 고등학교 내신 성적 반영과 수시원서를 위한 자기소개서 작성 때였다.

온 신경을 써줘야 하는 시기였다. 늘 누군가의 도움이 절실했다. 능력 없는 엄마가 싫어서 엄마자리 사표를 하루에도 수십 번씩 냈다. 하지만 다시 되돌아와 어릴 때부터 만들어준 학습방법으로 다시 시작했다.

이런 학습의 중요성을 알고 있으면서도 둘째를 키울 땐 실천하지 못했다. 사교육의 유혹 앞에서 갈대보다 더 흔들렸다. 영어공부는 어디가 잘 시킨다더라, 수학은 어디가 잘 가르친다더라는 주변 사람들의 이야기에 귀가 쏠렸다. 점수 오른다는 학원 앞을 기웃거리기도 했다.

누구나 마찬가지였으리라 생각한다. 대한민국에서 엄마로 살기 위해선 완벽한 가치관이 필요하다. 엄마의 가치관은 아이를 기준에 둬야 한다.

엄마의 가치관은 자주 흔들릴 수밖에 없다. 가치관이 흔들리지 않게 도와주는 힘은 독서와 대화로부터 온다. 엄마의 독서는 아이의 꿈을 구체적으로 그려주고, 아이와 엄마의 대화는 공감 능력을 높인다. 아이의 시선에서 아이를 공감하는 대화의 주제를 끄집어내는 독서와 대화는 대한민국 엄마에게 명확한 가치관을 만들어준다.

혼자만의 가치관으로는 부족하다. 아이와 함께 통해서 만들어가는 가치관이 중요하다. 처음 내가 둘째아이 교육에 힘들었을 때만 해도 그렇다. 엄마 혼자 가치관을 만드는 일은 어쩌면 펄럭거리는 귀를 만드는 일과 같다. 그래서 엄마들도 독서가 필요하다.

독서는 생각을 하게 하는 능동적인 학습행위다. 사교육이냐, 자기주도 학습이냐의 선택도 중요하지만 어떠한 학습이든 능동적인 것이 중요하다. 주체적 삶을사는 자세를 아이에게 보여줘야 한다. 다행히 둘째와 함께 책을 읽고 꾸준히 대화를 나누려 노력했다.

둘째는 공부에 몰입하는 힘이 약한 편이다. 그러나 아이는 자신이 원하는 것을 확실히 알고 있다. 방송부 일과 총학생회장 역할까지 열심히 한다. 얼마 전 학예회발표 사회도 얼마나 똑 부러지게 했는지 아이를 보고 있는 나도 자신감이 넘쳐났다. 전북꿈나무서예비엔날레에서 수상을 하기도 했다. 좋아하는 바둑을 둘 때는 온 신경을 집중한다.

학습이 부족해서 어쩌지 싶었던 둘째는 다른 방면에서의 장점이 많다. 자신이 맡은 일에 최선을 다한다는 점과 내가 챙겨주는 일이 없어도 자신의 일을 찾는다는 점이다.

며칠 전 내가 이끌고 있는 전북 독서지도 연구회 산하 '북 앤 프렌즈'란 독서모임 송년회가 있었다. 각 선생님들의 장기자랑 시간이 있었는데 개인기가 없던 나는 아이에게 C코드 하나면 연주가 가능한 〈도깨비 빤쓰〉란 노래를 배워 우크렐레로 연주하게 되었다. 하지만 준비가 미흡했다. 둘째에게 도움을 요청했다.

"진이야, 엄마를 위해 도서모임에서 악기 연주 좀 해주면 좋겠는데. 해줄 수 있어?"

아이는 망설임도 없이 "좋아."하는 거였다.

처음 보는 선생님들 앞에서 아이는 자신을 소개하고 노래를 3곡이나 연주했다.

"오카리나도 연주하고 싶었는데 학교에 두고 왔어요."라며 다음엔 두 가지 다 연주하겠다고 했다. 아이는 그날 선생님들의 예쁨을 많이 받았다.

아이에 대한 미안함이 컸지만 내가 해 줄 수 있는 책 읽어주기와 눈 맞춤 대화를 통해 아이는 긍정적으로 자기주도 학습을 해 나갔다. 자신이 잘 할 수 있는 분야를 찾아가고 있었다. 아이는 부모의 생각 대로 된다. 아이들은 엄마가 믿고 사랑하는 대로 된다. 엄마가 생각하는 교육의 가치관이 아이에게 그대로 전달된다.

아이를 키운다는 건 답이 없다. 답이 없다는 일에 매력을 느낀다면 많은 학부모들이 지금처럼 불안해하거나 학원에 목매지 않아도 된다.

답이 없다는 것 때문에 다수가 가는 길을 쫓아가는 게 맞는지, 답이 없으므로 내가 답일 수 있다는 자신감을 가지고 가야 하는지 늘 헷갈린다. 늘 힘에 부치는 게 엄마라는 자리다.

나는 아이를 키우면서 답에 연연하지 않았다. 항상 잘못 한 것은 인정하고, 못하는 것은 못한다고 말했다. 부족함을 알고 있으면 아이와 함께 할 힘, 용기가 생긴다.

어린 나이에 부족한 상태로 결혼을 해서인지 내 부족함이 아이를 키우는 데 걸림돌이 되지는 않을까 걱정했다. 그 걸림돌을 디딤돌로 바꾸고 싶었다.

이런 말을 하는 엄마를 본 적 있다.

"난 영어 발음에 자신이 없어서 그냥 학원에 보내는 게 좋을 거 같아. 문법은 어떻게 설명하겠지만 우리 시대 발음이 좀 그렇잖아. 유치원에 보내보니까 얼마나 발음이 좋은지 내가 말하면 잘못된 거라고 틀린 거라고 애가 그러더라."

뒤에 붙이는 말은 늘 같다. 학원이나 과외가 필요하다고 말이다.

하지만 나는 발음 뿐 아니라 문법도 자신이 없었다. 학창시절에도 영어를 좋아한 편이 아니었다. 아이에게 공부를 알려주면서 걱정했던 부분이 바로 영어 교육이었다. 가장 중요하다고 말하는 부분에서 가장 자신이 없었다.

나는 영어공부를 하기로 마음먹었다. 영문학을 공부하면서 영어를 쉽게 알려 줄 방법을 생각했다.

발음을 위해서 혀의 위치, 입의 크기, 목구멍의 움직임, 코에서 나오는 바람, 입술끼리 부딪히는 연습, 윗입술로 아랫니를 깨무는 연습을 3개월 동안 멈추지 않았다.

물론 완벽한 발음을 구사한다고 할 수 없지만 소리 나는 원리를 알게 되니 아이에게 내 입모양을 보여주며 읽는 방법을 연습시킬 수 있었다.

주변 엄마들은 큰딸이 학원에 안 가는데도 발음이 좋다며 방법을 알려달라고 했다. 그렇게 3~6개월 코스로 아이들의 파닉스를 가르치는 일을 한 적이 있다. 당시 일반 학원이나 학습지에서도 보통 1년에 가까운 시간을 투자해야 했던 학습이 반절의 투자로 가능하다는 걸 알리고 싶었다.

이유는 하나였다. 내가 능력이 있어서가 아니다. 아이 키우는 게 나만 힘들다고 생각하지 않았기 때문이었다. 가정에서 지출하는 사교육비 부담이 크다. 우리 집은 유치원을 보내는 것도 부담이었고, 학원조차 보내지 못했다.

사교육비를 줄이는 방법은 엄마들이 공부하는 방법이다. 아이와 함께 고민하고 해결하는 방법으로 최소한의 비용으로 최대효과를 얻으리라 생각했다.

큰딸이 7살이 되던 해 6개월간 영어 공부를 시킨 후, 서점으로 데리고 갔다. 시중에 영어 관련 도서가 많이 없어서 중학교 1학년 참고서를 꺼내 들었다. 아이에게 읽을 수 있는 만큼 읽어보라고 했더니 60% 이상을 소화해 냈다.

내 생각과 방법이 옳은지 확신이 없던 때였지만 아이를 보니 자신감이 생겼다. 아이에게는 자존감을 나에게는 자신감을 심어주고 싶었다. 아이에게 초등영어자격시험을 응시하게 했는데 합격했다.

아이를 위해 배운 일이었지만, 더 알리고 싶었다. 동사무소(현 자치센터) 문화센터교실에서 60세 이상 어르신들에게 영어를 알려주는 자원봉사를 시작했다. 일본어나 중국어를 조금씩 하는 분들도 있었지만 영어는 처음인 분들이 대부분이었다. 많은 연세에도 공부에 도전하는 어르신들이 존경스러웠다.

옆 교실의 댄스교실과 노래교실에서 음악이 울리면 수업 몰입이 떨어지기 일쑤였다. 스스로 고민이 많았다. 아이에게 접근했던 방법과는 다른 방법이 필요했다.

결혼 전 새벽마다 굿모닝팝스를 들었던 기억이 떠올랐다. 어르신들을 위해 재미있게 놀이처럼 접근하는 방법으로 팝송이 제일이라고 생각했다. 반응은 좋았다. 노래의 뜻을 알게 됐다는 점에서 좋아했고, 어디 가서 팝송 하나씩 부를 수 있다는 걸 가장 만족해했다.

당시 나는 아이들에게 영어를 어떻게 하면 보다 쉽게 설명해 줄 수 있을까 고민하고 있었다. 사전을 찾아보며 설명하는 법을 연습했다. 하지만 국어사전에 한자어가 70~80%를 차지하고 있었다. 내가 한자어를 쉽게 이해하는 것부터가 난관이었다. 또 무능력에 부딪혔다.

내 교육관이며 가치관 중 하나는 '부족함은 절실함'이다.

무능력에 맞서기로 했다. 영어를 가르치기 위해 한자어 공부에 도전했다. 한자자격시험과 한자지도사자격증을 취득했다. 그러자 영어의 문법 뿐 아니라 역사 속 언어를 설명하기도 훨씬 쉬워졌다.

답이 없다고 말하지 말고, 무능력하다고 탓할 필요가 없다. 아이를 교육시키기 위해서는 '함께 공부하자'는 생각으로 임해야 한다.

많은 엄마들이 말한다.

"아이가 머리가 크더니 내 말을 안 들어요."

그렇다면 아이 머리가 크기 전에 준비하면 된다. 아이에게 엄마의 공부하는 모습을 자주 보여줘야 한다.

나도 물론 무능력함에 부끄러웠던 적이 있다. 무능력을 알고 움직이지 않는다면 그건 진짜 무능력이다. 하지만 부족함을 위해 변화를 시작한다면 무능력한 엄마가 아닌 노력하는 엄마가 된다.

노력하는 엄마의 모습을 아이에게 자주 보여줘야 한다.

우리 집은 유난히 스킨십이 많다. 아이가 어릴 적이야 당연히 그렇지만 아이가 다 자란 지금도 그렇다. 오며가며 뽀뽀를 하고 서로 기분이 안 좋아 보이면 안아주고 손을 잡아준다. 한 이불속에 들어가 발가락을 부비는 것도 좋아한다. 나란히 앉아서 영화 보는 것도 좋아한다. 칭찬받을 일이 있으면 어김없이 엉덩이를 두드려준다. 힘든 일을 하고 있을 때는 뒤에서 조용히 안아주는 것도 좋아한다.

아이가 어릴 적에는 스킨십을 많이 하지만 크면 스킨십을 잘하지 않는 부모들이 많다. 아이와 대화를 나누는 것만큼 중요한 것이 바로 아이와의 스킨십이다. 아이가 컸다고 해도 자주 안아줘야 한다.

큰아이는 유치원과 학원을 다니지 않았다보니 나와 있는 시간이 상대적으로 많았다. 아이의 이야기를 들어주고 아이에게 답이 없는 질문을 던졌다. 생각 주머니가 늘 열려있게 했다. 큰아이는 7년 뒤에 태어난 동생에게 엄마가 했던 그대로 했다. 옆에서 이야기를 해주고, 안아주고, 질문을 만들었다.

둘째가 태어났을 때 초등학교 1학년 이었던 큰딸은 학교에서 돌아오면 곧바로 손을 씻고 학교에서 있었던 일을 동생에게 재잘재잘 거렸다.

"진아, 오늘 하루 뭐했어? 오늘은 언니가 어떤 책 읽어줄까?"

유모차에 동생을 태워서 동네를 한 바퀴씩 돌기도 했다. 나무그늘에 앉아서 계속 이야기를 했다. 아이가 잠이 들면 그제야 집으로 돌아왔다. 바쁜 엄마를 대신해 돌봐주니 둘째는 언니에게 "호영엄마"라고 불렀다. 눈을 뜨면 신발을 들고 언니에게 나가자고 조르기도 했다.

둘째가 태어나고 계속 몸이 아팠다. 일하지 않을 때는 잠을 자거나 누워있었던 적이 더 많았다. 큰애는 자는 엄마가 깰까봐 동

생이 울면 기저귀도 갈아주고, 분유도 먹이면서 키우다시피 돌봐
줬다.

주변에서는 "호영이가 착하잖아."라고 말한다. 물론 타고난 기
질이 없는 건 아니다. 하지만 둘째에게 잘 하는 이유는 어릴 적 기
억의 토대가 아닐까 싶다. 어릴 적 엄마가 말해주고, 듣던 기억,
만져주고 안아주던 손길을 기억하는 대로 동생에게 전해주고 있
는 게 아닐까?

어릴수록 엄마와의 시간은 절대적으로 필요하다. 반드시 기억
해야 할 부분이다.

어느 날 저녁을 준비하면서 큰 아이에게 동생과 놀아주라고 했다.

"진아. 우리 오늘은 뭐할까?"

"색칠놀이 할 거야."

"그래. 어떤 걸 색칠하지?"

"곤충 색칠하기 하자."

"그래. 그럼 곤충에 대해서 알아볼까?"

진이는 곤충도감을 가지고 왔다. 둘이서 곤충도감을 훑어보더
니 이런저런 이야길 나누면서 색칠을 시작한다.

"진이는 오늘 본 곤충에서 누가 제일 맘에 들어?"

"난 땅강아시. 엄마는 나보고 똥강아지라고 하는데. 애는 이름
이 땅강아지래. 이름이 완전 웃겨. 언니는? 언니는 어떤 곤충이
맘에 들어?"

"나? 난 메뚜기. 메뚜깃과 중에서는 유재석이 제일 맘에 들어."

저녁을 준비하던 나는 크게 웃어버렸다. 큰딸 유머에도 놀랐고 내가 큰딸에게 했던 교육법을 그대로 동생에게 하고 있는 모습에 놀랐다. 색칠놀이를 하자더니 자연스럽게 책을 보도록 유도하고 책을 읽은 후에는 복습을 향한 질문을 던지고 연계된 생각이나 활동을 하게 하는 방법이다.

큰딸의 유머코드도 나와 비슷하다. 나는 스트레스가 쌓일 때마다 혹은 아이에게 미안한 마음이 들 때마다 몸으로 풀었다. 마치 가수처럼, 댄서처럼, 개그우먼처럼 행동했다. 반응이 싸늘할 때도 있었지만 엉뚱하고 발랄한 집안 분위기를 만들어냈다. 아이들도 엄마의 '개그피'를 이어간다. 엉뚱발랄함이 우리 식구들의 공통 코드며 이 방법들은 아이들의 스트레스를 해소시켰다.

'시험'이라는 두 글자만으로 막연히 받는 스트레스가 보이면 어김없이 맛있는 음식을 준비했다. 몸 개그를 선보이며, 말도 안 되는 썰렁 유머를 만들어냈다.

나는 개그엄마다. 웃음치료사들은 억지로 웃다보면 정말 웃음이 나오고 그 웃음에너지가 긍정적으로 전달된다고 말한다. 집안에서 펼쳐지는 엄마의 쇼는 아이에게 무거운 짐을 내려놓게 하는 원동력이 된다.

어떤 아이도 혼자 자라지 못한다. 갑자기 자라지도 않는다. 어떤 일을 아이 혼자 갑자기 잘 할 수는 없다. 배우면서 자라난다. 아이 교육이야말로 시나브로 쌓이고 쌓인다. 하얀 눈송이 한 알이 두터운 눈 이불을 만들기 위해서는 시간이 지나고 지속적으로 내려야 하는 것처럼 말이다.

어느 날 갑자기라는 말은 없다. 작은 움직임이 큰 움직임을 만들어낸다. 작은 움직임이 지속적으로 이루어지다 보면 마침내 큰 움직임이 예고 없이 찾아온다.

가랑비에 옷이 젖듯이 아이를 향하는 꾸준한 마음이 큰 움직임과 큰 결과를 가져온다. 아이와의 사랑이 쌓이고 관계가 형성되고 아이가 안정감을 갖게 하는 시간을 충분히 가져야 한다. 이 준비를 통해 아이는 스스로를 믿게 된다. 자신을 사랑하고, 어떤 일이든 도전하게 될 것이다.

콩나물시루에 물을 준다. 물은 속절없이 빠져나간다. 어릴 적 할머니가 콩나물을 키우는 모습을 보면서 속으로 생각했다.

'뭐지? 물에 담그던지. 물을 어쩌다 한 번만 줘도 되겠는데, 왜 매일매일 물을 뿌리지?'

그렇게 빠져나가는 물이 콩나물을 키운다는 걸 엄마가 되어 알았다. 아무렇지 않게 콩을 스치고 간 물 한 방울이 콩을 자라나게 했다는 걸 말이다.

아이들 교육도 마찬가지다. 주기적인 관심을 흘려줘야 한다. 욕심으로 물에 담근다면 콩은 썩는다. 물을 간간히 준다면 콩은 말라 죽는다. 주기적인 관심이 기다란 콩나물이 되듯 과하거나 부족하면 안 된다.

엄마는 관심을 갖고 지켜볼 뿐이다. 아이들은 콩이고 엄마들은 물을 주는 할머니의 맘이어야 한다. 아이들은 어느 날 할머니의 지극한 정성과 관심을 알고 자신의 꿈을 키우고 성장하게 된다. 다만 기다릴 수 있는 마음과 아이가 커 나갈 시간이 필요하다. 엄마라면 기다려야 한다.

'자녀 거울 교육법'이 있다.

부모의 뒷모습은 곧 아이의 모습이다. 아이는 부모가 했던 행동과 말을 스펀지처럼 기억하고 따라한다.

나는 대학교 졸업 전에 '윤 선생 영어학원'에 관리교사로 취직했다. 오전은 자원봉사로 영어수업을 진행했고 오후엔 영어 관리교사 일을 하고 있었다. 저녁에는 학원 파트타임 수업을 했다. 큰딸 덕에 동네에서 만들어진 아이들 영어 모둠 수업도 시작했을 때였다.

이전의 삶과는 다른 삶이었다. 금전적으로 부족했지만, 돈만 보고 살고 싶지 않았다. 현재의 삶에 안주하지 않으려고 틈나는 대로 공부를 하고 자격증 취득을 했다. 아이를 위해 영어를 공부했고, 단어의 뜻을 효과적으로 가르치기 위해 한자 자격증도 취득했다. 이어서 독서와 역사 자격증까지 다양하게 공부했다.

자녀 교육에 대해 많은 고민을 했고 많은 경험을 쌓았다. 지금은 독서와 자녀교육을 강의하는 강사가 되었다.

나는 많은 학부모들을 만난다. 학부모 대부분은 자신이 없어서 학원으로 아이들을 보낸다고 말한다. 자신 없는 나야말로 학원 보내는 엄마가 되었어야 맞다.

나는 학부모에게 묻는다.

"어머님, 아이들 학원으로 보내면 그 사이에 뭐하세요?"

아이는 학원에서 다른 생각을 하고 있고, 엄마들은 찻집에서 다른 생각에 빠져있다. 서로 다른 곳을 바라본다.

거울 교육을 생각하면 이 상황은 '깨진 거울'이다. 깨져있는 거울을 보니 서로의 마음을 이해하기도 어렵고, 진심이 제 모습으로 전달되지 않고 왜곡된다.

몇몇 학부모들은 아이에게 초점을 맞춰 하루를 보낸다. 좋은 학원정보를 공유하고, 학교 선생님 이야기도 하고 학교 친구들 이야기도 한다. 아이 교육에서 필요한 준비도 한다.

나는 다른 질문을 한다.

"어머님의 지금 상태도 아주 좋은 거 같아요. 아이를 잘 바라봐 주는 부분이요. 하지만 어머님 시간 모두 아이에게 맞춰있네요. 아이의 시간만 있고 어머님의 시간은 부족해 보이는데 어떻게 생각하나요?"

이런 어머님들의 대답은 일정하다.

"그래도 저는 아이에게 초점을 맞추고 싶어요."

이런 경우는 아이가 삶의 목표다. 충분히 자기 뜻대로 행복하게 살고 있다. 다만 시간이 지나면 달라진다. 개인은 개인의 삶을 영유해야 한다. 본인의 삶을 살고 싶은 순간이 올 가능성이 높다. 아이에게만 초점을 맞춘다면 개인의 삶에서 박탈감을 느낄 수 있다.

엄마가 행복하지 않고 아이가 행복한 방법은 없다. 이게 거울 교육이다. 아이의 행복을 위해서는 마주보는 엄마가 먼저 행복해야 한다.

나는 자신 있게 말할 수 있다.

"어머님 자신의 시간이 버려지는 건 안 좋아요."

시간의 활용은 공평하게 나누는 게 좋다. 아이에게 집중된 시간만큼 자신에게 집중되는 시간이 필요하다. 아이는 엄마를 보고 배운다. 엄마의 삶이 행복해야 하는 이유다.

엄마의 삶으로 보여주고 엄마의 삶으로 가르치는 교육이야말로 진정한 엄마표 교육이다. 엄마표 교육으로는 남들과 다른 특별한 아이로 자라날 확률이 더 높다고 자신한다.

🌱 최고의 교육은 경험이다

아이는 자라면서 어른들이 생각하지도 못했던 부분에 관심을
갖는다. 쉽게 지나치는 사물에도 의미를 부여하고 쪼그리고 앉아
관찰하며 계속해서 종알거린다. 아이에게 생각이 자라고 있다는
증거다.

아이는 하루에도 수십 번씩 묻는다.

"엄마 이거 뭐야?"

"왜?"

늘 궁금증이 많은 아이를 보면서 생각했다.

'내가 할 수 있는 정답이 아닌 아이에게 더 많은 생각을 하게

하는 방법은 뭘까?'

결론은 단순하게 나왔다.

'그래 더 많은걸 보여주고 들려주면 되겠다.'

대화는 부족하지 않았다. 늘 하던 대로 지속한다면 충분했다. 그러나 더 보여줄 수 있는 방법은 부족해 보였다. 꾸준히 책을 사주고 있지만 책 속에 갇힌 그림과 정보는 아이에게 전달되기에 한계가 있었다.

한계를 극복하는 방법은 쉽게 찾을 수 있다. 바로 여행이다. 지금도 엄마들에게 추천한다.

"아이랑 여행을 떠나는 게 정말 좋은 교육이에요."

엄마들은 "저도 그건 알죠. 그런데 현실적으로 어려워서요."라고 답한다. 아예 이해를 못하는 건 아니다. 여행이라는 건 신경 쓰고 정해야 할 게 많다. 요즘에는 일을 하는 엄마들이 많으니 더욱 그렇다.

아이가 어렸을 때 가본 곳은 고작해야 동네에 있는 작은 공원이 전부였다. 놀이공원도 제대로 가본 적이 없다. 입장료나 놀이기구를 태워줄 돈이 없었다. 아이가 좋아하는 동물원도 한 번밖에 가지 못했다. 남편은 직업상 주말에 쉬지 못했다. 비가 오거나 눈이 오는 날에 쉬었다. 날씨 좋은 날 가족 모두 야외로 나가는 게 쉽지 않았다.

어쩌다 맑은 날 남편이 쉬면 그날이 가족 소풍날이었다. 우리는 셋은 오토바이에 올라타 '상관'이나 '화심의 용문사' 길처럼 작은 시골마을을 다녀오고는 했다. 하지만 그마저도 어려워졌다. 아이가 조금씩 자라면서 셋이 오토바이를 타는 게 어렵게 됐다.

남편 쉬는 날만 기다릴 수 없었다. 한 달에 한 번이라도 아이 손을 잡고 어딘가로 나가기로 결심했다. 아이를 데리고 시장에 자주 다녔다. 되도록 걸어서 다녔고 거리가 있는 곳은 버스를 타고 다녔다. 버스를 타고 종점에서 내려서 놀다가 다음 차를 타고 집에 가기도 했다.

큰아이와 자주 가던 종점은 변두리 시골 느낌이었다. 우리는 점심 도시락 하나를 싸들고 마치 소풍 온 것처럼 도시락을 먹었다. 88번의 중인리, 109번의 하이리, 684의 금구, 970의 모악산 입구까지. 우리는 버스를 타고 어디든 갈 수 있었다.

다음해 나름 큰 결심을 했다. '전주를 벗어나서 시외버스에 도전하자.' 첫 번째 도전지는 마이산이었다. 집에서 시내버스를 타고 시외버스터미널로, 시외버스를 타고 진안으로, 진안에서 마이산 가는 시내버스를 탔다. 봄에서 여름으로 들어가는 때였다.

날은 더워지고 있었다. 아이 등에서 땀이 났다. 에어컨이 없는 차 안에서 멀미까지 겹쳤다. 억지로 데려온 건 아니었지만, 아이의 고생에 마음이 짠했다.

그것도 잠시 버스에서 내린 아이는 마이산을 보고 신기해했다. 어린 나이에 긴 여행이 쉽지 않았을 텐데 짜증은커녕 기뻐했다. 돌아가는 길 얼굴은 빨갛게 익어 있고, 머리카락은 땀에 찌들어서 쾌쾌한 냄새까지 났다. 몸은 지칠 대로 지쳐 있었다.

"아니, 이렇게 어린애가 저기 산에 다녀오는 거야?"

"시상에 오늘 날도 더운데. 애를 개고생을 시키네. 여가 애들이 가기에 위험하기도 한디."

"아가! 요거라도 하나 먹어라."

진안으로 나가는 버스에는 온통 어르신들뿐이었다. 아이를 측은하게 보고 나를 마치 계모 보듯 했던 기억이 난다. 하지만 우리는 지금도 그때의 추억에 빠져 웃으며 이야기를 한다. 걷고, 오토바이를 타고, 시내버스를 타고, 시외버스까지 타면서 나는 아이에게 여행의 즐거움을 맛보게 했다.

아이와 '탈 것' 종류에 대한 이야기를 하다가 문득 내가 태워줄 수 있는데 아직 못 태워준 게 많다는 걸 깨달았다. 나는 아이에게 기차를 태워주고 싶었다. 남편 쉬는 날을 맞춰, 여수로 기차여행을 다녀왔다. 무궁화호 열차를 타고 여수에 도착해서 버스로 돌산대교를 다녀왔다.

돌아오는 길에 다음엔 지하철을 타면 되겠다고 생각했다. 아이와 당일치기 서울행을 계획했다. 이번엔 시내버스, 고속버스, 지하철이 코스였다. 아이는 지하철을 신기해했다. 사실 지하철보다 지하철 안 사람을 더 신기해했다.

"엄마, 이렇게 많은 사람들은 어디서 나온 거야?"

"엄마. 땅 속으로 다녀서 지하철이라며, 그럼 이제 지하철이 아니야?"

아이는 온통 호기심 투성이었다.

한강을 지나치기 위해 지하철이 땅위로 올라왔다.

63빌딩과 근처 LG과학전시관(사이언스홀)을 보러 갔다. 촌뜨기들의 서울 나들이답게 입을 쫙쫙 벌릴 일 뿐이었다. 한강이 멋져서, 63빌딩이 높아서, LG과학관이 신기해서… 우리는 같은 걸 보고 대화하면서 추억을 쌓았다.

여행을 하다 보면 생각하지 못했던 사람들을 만나게 된다. 그곳만의 특별함을 경험한다. 아이에게 생각만 강요하는 시대다. 생각은 누구나 한다. 하지만 머릿속을 겉돌고 둥둥 떠다니는 생각처럼 헛되고 무용지물인 게 있을까?

생각의 물꼬를 트게 하는 방법 중 여행은 가장 이상적이다. 여행은 허공에 떠다니는 생각을 묶어준다. 그리고 자신의 단단한 생각으로 만들어 준다.

여행은 멀리, 좋은 곳만을 봐야만 하는 게 아니다. 나와 큰아이처럼 가까운 곳에서부터 쉽게 움직이는 시간이 더 중요하다. 물론, 좋은 곳을 더 갈 수 있다면 좋다. 하지만 더 중요한건 아이의 손을 잡고 이끌어주고, 눈을 마주하는 엄마의 역할이다.

   늘 가까운 곳이나 국내 여행지를 돌아다니다, 여행다운 여행을 할 기회가 생겼다. 행복하게 결정된 여행은 아니었지만, 여행은 늘 옳다는 걸 깨달은 계기였다.

   아이는 유치원을 다니지 않았다. 나는 당시 일을 하고 있었고 아이는 하루 종일 혼자 시간을 보내야했다.

   어느 날 아이가 뜬금없는 소리를 했다.

   "엄마, 나 발레 배우면 안 돼?"

   "발레?"

   선입견이 앞섰다.

   '돈 많이 드는 거 아냐? 발레는 부자들이나 보내는 거 아닌가?'

   혼자 별의별 생각을 다했다. 아이에게 발레를 어떻게 알았는지 물었다. 알고 보니 놀이터에서 혼자 놀던 딸아이는 다른 아이들이 예쁜 분홍 발레복을 입고 노란 학원 차에 올라타는 모습을 본 것이다. 덜컥 알겠다고 대답할 수 없었다.

   "엄마가 꼭 보내준다고 약속 할 수 없어. 일단 엄마랑 함께 학원에 가보자. 선생님 이야기도 들어보고, 학원비도 얼마인지 물어

봐야 하니까. 그리고 결정하면 좋겠는데. 어때?"

그렇게 발레 학원에 찾아갔다. 올망졸망이란 표현대로 작은 아이들이 음악에 맞춰서 바에 한 쪽 손을 얹고 발을 들었다 내렸다 하는 모습이 너무 귀여웠다. 내 눈에도 이렇게 예쁜데 아이 눈에는 얼마나 예뻤겠는가. 다행히 유치부를 위한 취미반이 있었다. 학원비는 주 3회에 6만원이라고 했다.

내가 생각한 것보다 훨씬 싸다는 안도감과 함께 유치원을 보내는 대신이라고 생각하고 등록했다. 반년을 배우고 나더니 갑자기 더 오래 배우고 싶다는 거였다. 선생님과 통화를 했다.

"호영이가 성실하게 잘 따라 해요. 사실은 한국무용을 너무 시켜보고 싶어서 전화를 하려던 참이었어요."

전공반은 수업료가 얼마냐는 질문부터 했다. 전공반은 주 5일에 15만원이었다. 수업료 문제가 아니었다. 전공반은 단지 수업을 더 하는 게 아니라, 대회에 나가게 된다. 대회에 참가하기 위해서는 작품이 있어야 하고, 대회 때 입을 옷이 필요했다. 멀리가게 되면 하루 숙박도 해야했다.

며칠을 고민했는지 모른다. 결혼 후 줄곧 시동생들에게 들어가는 돈이 만만치 않았고, 시아버님 돌아가실 때 진 빚까지 갚느라 수중에 돈은커녕 남아있는 대출금도 상당했다. 게다가 이미 둘째가 뱃속에서 자라고 있었다.

아이는 순진하게 물었다.

"엄마, 나 전공반 가도 되는 거야?"

"일단 전공반 다니기로 하고, 대회는 나중에 결정하면 어떨까?"

나는 일단 시간을 두고 아이 마음이 지속될 지 관찰했다. 아이들의 꿈은 수시로 바뀌기 때문이다. 이때 아이의 열정은 대단했다. 시간만 나면 다리 찢기를 하고 턴을 했다. 행복해하며 재잘거렸다. 아이의 열정에 나는 두 손 두 발 다 들었다. 적금을 깨서 대회에 나가기로 결심했다.

당시 아이는 나가는 대회마다 장려상부터 대상까지 다양하게 상을 타왔다. 나는 둘째도 있고 나까지 움직이면 돈이 더 드니, 한번도 아이가 나가는 대회를 보러가지 못했다.

아이가 9살 때 전주 삼성문화회관에서 대회가 열렸다. 둘째를 업고 구경을 갔다. 딸아이가 대회에 참여하는 걸 처음 본다는 기대감에 휩싸였다. 혹여 둘째가 갑자기 울기라도 할까 뒤에 서서 관람을 했다. 앞쪽에는 심사위원들이 있었고, 내가 서있던 뒤쪽으로 무용 관련 몇몇 사람들이 앉아서 아이들을 평하고 있었다. 딸아이가 나왔다. 주변 사람들은 딸아이에 대해 이야기를 시작했다. 귀가 쫑긋 세워졌다.

"저 애는 진짜 잘한다."

전문가로 보이는 사람들이 잘한다는 말을 하자 입가에 미소가 번졌다.

"잘하면 뭐해. 저런 애는 분명 대상을 못 받아."

금세 미소가 사라졌다. 그들의 이야기에 더 집중했다.

"그러니까… 옷이 저게 뭐야. 처음 나오는 애인가? 옷이 아무래도 걸린다."

"그러게. 옷만 아니면 저 애가 대상 받을 것 같은데…"

"엄마는 안 온 건가? 옷을 딱 봐도 싼 티가 나네."

다리가 후들거리고 얼굴이 화끈거렸다. 눈물이 쏟아졌다. 더 이상 그곳에 서 있을 수 없었다. 조용히 문을 열고 나왔다. 아이가 오기 전에 눈물을 닦고 아무렇지 않은 듯 아이를 기다렸다.

"아이고 우리 딸! 너무 잘하더라."

딸과 내 앞으로 어떤 남자 분이 다가왔다.

"혹시 이 아이 어머니세요? 잠시 이야기 좀 할게요."

아이와 나는 가만히 남자의 말을 들었다.

"아이가 정말 잘하더라고요. 그렇지만 이 아이에게 대상은 줄 수 없습니다."

내 불안한 눈빛을 무시하고 남자는 말을 이어나갔다.

"예체능 대회는 지금 당장 잘하는 아이에게 상을 주기도 하지만 앞으로 잘할 아이에게 상을 주는 경우가 더 많습니다. 무용은 조금 하다가 경제적인 문제로 그만두는 아이들이 많습니다. 그래서 앞으로도 계속 지원을 해주고 이쪽으로 키울 수 있는지 보는 거죠. 이 아이는 지금 충분히 잘합니다. 하지만 경제적으로 계속 시키지는 못할 것 같은데…"

내가 엄마라는 게 너무 싫었던 순간이다. 더 큰 문제는 아이가 이 이야기 모두를 들었다는 거다. 그날 아이는 장려상을 받았다.

처음 알았다. 아이의 장래에 대해서 다시 고민해야 하는 시기가 왔다는 걸. 아이의 발레 선생님은 여러 이야기로 날 위로했다. 위로될 리 없었다. 결국 무용을 포기하기로 했다. 아이도 마지못해 동의했다.

발레를 관둔 후로 아이는 잘 먹지도 못하고 웃지도 않았다. 결국은 영양실조에 걸렸다. 아이를 위한 무언가를 해야 했다. 세상에는 더 많은 게 있다는 걸 알려주고 당장 아이가 행복할 수 있는 다른 일을 찾아야 했다.

고민하던 차에 지인이 일본으로 아이들을 데리고 여행을 갈 거라는 얘기를 들었다. 정말 이때는 돈이고 일이고 둘째 아이고 따질 이유가 없었다. 무조건 나도 함께 가자고 했다.

큰아이와 나 둘이서 처음으로 가게 된 해외여행이었다. 아이와 오랜만에 손을 잡았다. 멈췄던 입술이 다시 움직이기 시작했다. 놀이기구라면 전주 동물원에 있는 바이킹도 타지 못하는 내가 아이를 위해 기꺼이 디즈니랜드의 스페이스 열차를 탔다. 함께 소리도 원 없이 질러봤다.

여행에서 내 마음이 전해졌는지 아이는 조금씩 웃음을 찾았다. 새로운 세상이 있다는 걸 알려준 시간이었다. 돈은 아깝지 않았다.

하지만 나는 알고 있었다. 꿈을 잃어버리거나, 하고 싶은 일을 접어야 하는 사람들의 눈에는 반짝이고 초롱거리는 열정이 사라진다는 걸 말이다.

큰아이는 그날 이후로 무언가를 열정적으로 도전하려는 힘이 남보다 작아 진 것 같았다. 아니, 정확히 말하자면 무언가를 도전하거나 시작할 때 가정형편을 살피는 버릇이 생겼다. 엄마라면, 내가 진짜 엄마였다면 어떻게 해서든지 아이에게 원하는 걸 해줄 수 있었어야 했는지도 모른다.

아이에게 너무 빨리 포기를 알려준 것 같다. 도망치는 게 문제의 해결이 아니라는 걸 깨달은 건 시간이 한참 흘렀을 때였다.

아이에게 말했다.

"넌 이런 엄마 하지 마. 자식을 키우면서 포기하는 건 비겁한 거야. 엄마가 너 키우면서 가장 후회하는 일 중 하나는 발레를 그만 두게 했을 때야. 미안해."

"엄마 괜찮아. 나도 다 알아. 사실은 종종 무용 계속하고 싶다는 생각을 하긴 했어. 근데 이제는 괜찮아. 더 하고 싶은 게 언젠가 생길 거라 생각해."

"그래. 하고 싶은 건 다 해. 남에게 피해주고 목숨에 문제 되는 거 아니면 다 돼. 네가 하고 싶은 거, 행복한 거, 즐거운 일은 다 해봐."

여행이 얼마나 사람을 크게 하는지는 떠나보면 안다. 나는 일본 여행 후 한동안 여행은 꿈도 꾸지 못했다. 대신 조금씩 돈을 모으기 시작했다. 더 많은 곳을 함께 가기 위해 돈이 필요했다.

4년 후, 두 번째 해외여행으로 북경에 다녀왔다. 이번에는 둘째도 함께 동행했다. 둘째가 6살이어서 여행의 효과를 못 보고 돈만 쓰는 건 아닌가하는 노파심도 있었다. 내 생각일 뿐이었다. 둘째는 첫째보다 더 신 나게 뛰어 다녔다.

여행 중 가장 힘든 코스는 자금성과 만리장성이었다. 다리 아프다며 업어달라고 할까 하는 마음도 역시 기우였다. 아이는 나보다 앞장서서 잘도 다녔다.

돌아와서 아이들과 여행 책을 만들었는데 아이가 다음엔 독일을 가고 싶다고 했다.

"독일을 어떻게 알았어?"

"어. 책에서 독일을 봤는데 가보고 싶어졌어."

"그랬구나. 독일 엄마도 가보고 싶다. 우리 돈 많이 아껴 써야

겠다. 그나저나 독일 궁금하네."

"난 독일 알아. 노랗고 빨갛고 검정색이 합쳐지면 독일이야."

아마 독일 국기를 본 듯하다. 아이들은 듣게 된 것을 궁금해 하고, 직접 보고 싶어 한다. 여행이 중요하다는 이유다. 직접 볼 수 있는 기회와 꿈꿀 수 있는 발판이다.

세 번째 여행으로 외할머니와 외할아버지를 모시고 제주도로 여행을 갔다. 승마를 비롯해 다양한 경험을 했다. 둘째는 여행을 다녀온 후 현무암이 제일 신기했는지 "엄마, 제주도 돌은 구멍 숭숭이지." 하고 한동안 돌 그림을 그렸다.

가족 여행을 다니다 보면 경험이 남는다. 좋은 콘도나 호텔을 예약해야만 하는 건 아니다. 불편한 곳이든, 조금은 시끄럽고 더러운 숙소라도 괜찮다. 크고 작은 고생도 우리 가족의 스토리가 되기 마련이다.

우리 집 형편에 해외여행은 쉬운 일이 아니다. 하지만 여행이란 돈이 부족해도 갈 수 있다. 일 년 동안 적은 돈을 모아 여행을 갔고, 형편이 안 되면 카드를 쓰기도 했다. 그렇게라도 해서 여행을 간 이유는 여행이 아이들에게 많은 교훈을 주기 때문이었다.

돈이 더 모이고 형편이 될 때 가는 여행도 의미가 있다. 하지만 '지금' 아이에게 보여줄 수 있는 것과 불투명한 미래를 약속하는 건 차이가 있다. 미래의 시간에는 아이들의 호기심이 사라졌거나, 시간을 내기 더 힘들 가능성이 높다.

여행은 조건이 맞아야 간다. 핑계는 늘상 생긴다. 아이들과의 여행은 더더욱 그렇다. 많은 학부모들이 말한다.

"아이가 너무 어려서요."

"돈이 없어서요."

이렇게 말하는 학부모에게 여행도 교육으로 여기라고 말하고 싶다. 학원 보낼 돈은 있지만 여행 할 돈은 없다는 건 이해되지 않는다. 어릴 때부터 여행을 다닌 아이일수록 관찰력과 생각의 크기가 다르다. 표현과 이해의 폭이 다르다.

책만큼 중요한 건 없다. 앞서 말했듯 책을 통해 얻는 것도 중요하다. 하지만 여행은 직접 체험하는 학습이다. 글로 익히는 것과는 다르다. 책보다 더 중요한 게 여행이라고 하는 이유다.

여행은 움직이는 교육이다. 책이 평면에서 입체를 상상해야 한다면, 여행은 평면과 입체를 드나들고 직접 만질 수 있는 4D 영상인 셈이다.

책은 간접적인 타인의 경험 속으로 내가 들어가야 한다. 여행은 내가 주체가 되어 능동적이고 직접적인 경험을 만끽할 수 있다.

독서전도사로 일하면서도 경험과 체험을 끊임없이 주장하는 이유가 여기에 있다. 독서가 아무리 좋아도, 경험을 능가할 수는 없다. 경험이 생겨야 자신만의 스토리가 생기고 자신만의 색과 모양으로 옷을 입힌 삶이 그려진다.

여행을 고집하는 또 다른 이유는 아이가 '실천하지 않는 사상가'가 아닌 '행동하는 사상가'처럼 살기를 원하기 때문이다. 집을 너무도 좋아하는 나 같은 사람일수록 여행의 가치는 배가 된다.

떠나고 돌아오는 것, 그 자체가 여행이며 인생이다. 떠나면 집의 소중함을 느끼는 것. 그 자체가 겸손을 경험하고 감사를 배우는 여정이다.

여행의 또 다른 학습 효과도 존재한다. 바로 '나눔'이다.

몇 해 전, 5학년 여자아이와 '나눔'이란 주제로 독서토론을 하고 있었다.

"선생님. 왜 우리가 거지같은 사람을 도와줘야 돼요? 본인들이 게으르게 살아서 가난한 건데 열심히 살아서 돈 모은 우리가 꼭 줘야 해요? 전 안 주고 싶어요."

이 말을 듣고 일 분 정도 아무 말도 못했다. 부지런한 사람이 게으른 사람을 도우면 게으른 사람은 계속 게으르게 된다. 그럼 언젠가는 부지런한 사람도 열심히 일하기 싫어할 수도 있다는 게 아이 생각이었다.

충분히 그렇게 생각할 수 있다. 하지만 옳은 말은 아니다. 현대 사회 소외계층은 게을러서 가난한 게 아니다. 반대로 부자도 부지런해서 그 결과를 얻게 된 건 아니다. 나는 하루 반나절 이상을 일하는데도 하루 한 끼 겨우 먹는 사람을 봤다.

그렇다면 이런 생각이 머리에 잡힌 아이를 어떻게 설득시킬 수 있을까? 책과 대화만으로 설득시킬 수 있을까? 당연히 힘들다. 많은 시간을 들일 수밖에 없다.

나는 큰딸과 캄보디아 여행을 갈 때 이 아이를 데리고 갔다.

캄보디아의 작은 시장에서 자기 또래 혹은 자기보다 어린 아이들이 돈이 없어 학교에 가지 못 하고 팔찌를 만들어서 팔고 있는 모습을 보여주었다. 몇몇 아이들은 "원 달러"를 외치며 구걸을 하고 있었다.

아이에게 말했다.

"붕어빵이 얼마지?"

"음… 천 원에 다섯 개나 먹을 수 있죠."

"그 돈이면 이 아이들은 가족 모두와 식사를 할 수 있어. 그리고 붕어빵 몇 번 먹을 돈을 모아서 도와주면 학교도 다닐 수 있어."

"저렇게 일하면 그 돈 금방 벌잖아요. 도와줄 필요는 없잖아요."

"아니, 그렇지 않아. 저렇게 일을 해도 결코 하루 밥값도 벌 수 없어."

아이는 충격을 받은 것 같았다. 주변을 둘러보는 아이의 눈에서 많은 생각을 읽을 수 있었다. 아이는 손에 쥐고 있던 펜을 시장 안 아이에게 선물로 주었다. 내 가방에 쌓인 볼펜 하나에도 이곳 아이들은 큰 선물로 받아들인다는 걸 직접 경험하게 만들어 줬다.

아이의 생각이 단번에 바뀌기란 어렵다. 하지만 책과 대화를 통하는 방법 백 번보다는 한 번의 경험이 더 빠른 변화를 가져온다.

아이의 서울대 입학 축하를 명분으로 그리스와 터키로 여행을 다녀왔다. 가계가 휘청거릴 정도의 부담이었다. 하지만 공부하는 큰아이를 두고 둘째 진이와 떠났던 서부유럽 여행이 내내 마음에 걸렸다.

방학 때마다 역사 선생님들과 함께 '아이들과 함께하는 역사문화기행 프로그램'을 몇 년째 진행해오고 있다. 이 기행에 참여하려면 일 년 내내 번 돈을 모조리 투자해야 한다. 두 딸과 움직이다 보면 돈이 돈처럼 보이지 않을 정도다.

그럼에도 불구하고 기행을 떠나는 이유는 있다. 자신을 돌아보는 시간을 가질 수 있기 때문이다. 나는 기행 전 일부러 사전 기행을 시키지 않는다. 터키여행이 그랬다.

터키 문화를 소개한 책도 있고, 백과사전이나 인터넷 검색으로도 미리 정보를 다 얻어갈 수 있다. 하지만 길바닥 하나하나, 자연하나하나가 다 볼거리다. 미리 예측하고 간다면 책에서 본 것만 확인하고 올 것 같았다. 터키의 위치와 그리스와의 관계정도만 살짝 이야기하고 여행길에 올랐다.

지식으로 배우는 역사문화가 아닌 직접 눈으로 현장을 보고 배우는 역사문화는 아이의 머리에 끊임없는 질문거리를 만들어낸다. 여행을 다녀온 후에 함께 여행책을 만들며 그 질문에 대한 해답을 찾아보는 과정은 그 어디에서도 볼 수 없는 훌륭한 교과서가 된다.

물론 모든 교육이 책에서 벗어나야 하는 건 아니다. 특히 언제 다시 가게 될 지도 모르고 거금을 투자해서 가는 해외여행이 그렇다. 남들처럼 면세점에 들러 비싼 명품을 사고 싶기도 하고, 아이들에게 사전에 미리 공부를 시켜 어느거나 놓치지 않게 만들고 싶다. 나도 엄마이자, 아줌마이니 말이다.

그럼에도 욕심을 버린다. 지식이 필요할 때가 있고 지혜가 필요할 때가 있다. 이성이 움직여야 할 때가 있고 감성이 움직여야 할 때가 있다. 둘 중에 하나를 택해야 한다면, 반대의 것은 버려야 한다.

그리스에 다녀와서 둘째는 〈그리스 로마신화〉를 첫째는 〈그리스인 조르바〉를 읽었다. 그리스인에 대해 이해하고, 그리스의 해변을 상상하게 하는 책으로 손색이 없다고 여겼다.

아니나 다를까 아이가 책을 너무 잘 읽었다. 에게 해의 해변에서 해돋이를 보고, 배를 타고 횡단하고, 차를 타고 해안가를 스쳐가던 그리스를 생각했다. 단순히 문화유적만 나오는 책을 읽었다면 그리스의 느낌과 분위기를 만끽하지는 못 했을 것이다.

그리스 곳곳에 있는 돌덩이에서 문화의 융성함을 보았지만 곳곳의 작은 마을에서 여유 있는 문화를 보았다. 여행을 떠날 때마다 어떤 책을 읽을 것인가? 무엇을 공부하고 갈 것인가를 고민하는 이유다.

많은 부모들이 아이가 기행을 간다고 하면 관련도서를 읽히고, 공부를 시켜서 보낸다. 아는 만큼 보인다는 말의 힘 때문이다. 물론, 아는 만큼 보인다. 하지만 나는 아이들의 눈은 지식의 크기와 비례하지 않는 것을 알고 있다.

다녀와서 정리할 것인가?

다녀와서 책을 볼 것인가?

가기 전에 관련도서를 볼 것인가?

가기 전에 추측할 연관 도서를 볼 것인가?

모두가 중요한 과정이다. 하지만 무엇보다 여행의 중요성은 그 나라에 대해 충분히 느끼고 오는 것이 아닐까?

느낌으로 충만한 기행이 끝났다면 아이와 함께 여행 책을 만들어보자. 기행 보고서도 좋고 발자취 기록물도 좋고 단순 일기도 좋고 혹은 다녀온 곳의 티켓 모으기도 좋다. 사진을 정리해서 앨범을 만든다면 더 좋다.

엄마들은 아이를 키우는데 가장 중요한 것이 무엇인지에 대해 늘 고민한다. 가끔은 옆집아이에게 뒤지지 않게 더 좋은 휴대폰으로 바꿔주기도 하고 더 비싼 자전거를 사주기도 한다. 경제적인 뒷받침은 아이의 학원 수준으로 나뉜다.

영어학습의 경제적 지원 차이는 몇 만원 에서 몇십만 원 많게는 백만 원에 이른다. 더 나아가 해외연수 차이로 이어진다.

사교육으로 기죽이지 않게 키우기가 마치 부모의 첫 번째 역할이라도 된 것 같다. 돈을 쓰는 방향성의 문제다. 어떤 이는 아이에게 맛있는 음식을 사 먹이고, 어떤 이는 영화를 보여주고, 어떤 이는 책을 사서 읽히고, 어떤 이는 명품 옷을 사준다. 자신이 추구하는 삶을 사는 것에 가타부타 할 수 없다. 앞에서 계속 말해왔듯이 교육에는 정답이 없으니 말이다.

하지만 아이를 키운다면 겉치장과 책을 바꾸지 않기를 바란다. 명품과 사치를 아이와 떠나는 여행과 바꾸지 않기를 간절히 바란다.

책 읽는 아이

이기철

토끼풀 같은 아이야, 장차 무엇이 되고 싶니
선생님이 되고 싶니 발명가가 되고 싶니
시인 혹은 장군이 되고 싶니

너의 고사리 주먹에 쥐어진 한 권의 책이
지금은 무겁겠지만
그 속에 네가 가야 할 길이 있고 하늘이 있다

무거우면 네 연한 무릎 위에 책을 세우고
첫봄 개나리꽃 같은 아이야
별을 읽어라 바다를 읽어라 우주를 읽어라

네 눈빛이 책 속에 있는 동안
들 가운데는 자운영꽃이 피고 파랑새가
더 멀리 날고
고래가 바다를 횡단한다

네 가슴이 책을 꿈꾸는 동안
세계는 발자국 소릴 죽이고 네 숨소리를
듣는다
파도가 가라앉고 폭풍이 잠자고
태백산봉에는 흰 구름이 핀다

자두꽃 같은 아이야, 네 상상 속엔 지금
사슴이 지나느냐 연어가 돌아오느냐
들판 끝에 송아지가 우느냐

언젠가 아버지가 되고 어머니가 될
이 세상의 별인
책 읽는 아이야

나만의 언어,
아이만의 언어

눈은 나의 아킬레스건이다. 나는 책을 읽기에 악조건인 눈으로 태어났다. 조금만 피곤해도 눈의 통증이 심해서 눈을 감고 있어야 했다. 오래 책을 읽을 때면 속이 울렁거리기도 하고, 집중이 조금만 안 돼도 난독증처럼 한 줄을 몇 십번씩 읽어야 이해가 됐다. 게다가 나는 모서리 공포증이 있다. 책의 모서리 때문에 힘들 때가 많았다.

하지만 이런 약점은 나를 더 혹독하게 단련시켜주었다. 종종 나의 이런 약점이 싫어서 일부러 책을 멀리하기도 했다. 그래도 생각을 정리하는 힘을 길러주는데 책만큼 좋은 게 없다는 걸 알기에 다시 책을 집어 들었다.

사람들 앞에 나서서 말할 수 있는 힘을 준 것도 책이고 무엇을 선택해야 할지 흔들릴 때 지혜를 준 것도 책이다. 선과 악의 시비를 가려야 할 때도 책의 도움을 받았다.

책은 사람의 인생이다. 책과 여행에는 공통점이 있다. 바로 사람을 만난다는 거다. 다양한 사람을 책 속에서 만날 수 있다. 무엇보다 나 자신을 만날 수 있다. 내가 누구인지 제대로 바라볼 수 있는 힘이 생긴다.

나 자신에 대해 알게 되고 타인을 이해하게 만들어주는 책과 여행은 아이들의 성장에 필요한 필수 영양소와 같다. 독서의 중요성을 알면서 아이에게 책을 읽히지 않거나 부모들이 책을 읽지 않는 것은 아이를 매일 굶기는 것과 같다.

편독을 시키게 되면 매일 햄만 먹이는 것과 같다. 햄만 먹는 아이에게 어떻게 하면 야채를 먹일 것인지 고민해야 하듯이 다양한 영역의 책을 어떻게 하면 읽힐 수 있을지 고민해야 한다.

독서는 습관이다. 어릴 적부터 다양한 영역의 책을 읽어주면 편독을 고민하지 않아도 된다. 하지만 어릴 적 책 읽는 습관을 길러주는 것에 실패했다면 대화로 편독에 빠지지 않게 할 수 있다.

4살 정도의 아이들은 글자를 보고 그림처럼 그린다. 〈엄마, 나 응가 할래〉 그림책을 읽고 아이가 똥꼬에 관심을 가졌다. 책을 읽고 자연스럽게 대화를 시도할 수 있었다.

"똥꼬에서 뭐가 나올까?"

"방구. 크크크"

"방구가 똥꼬에서 나왔어? 똥꼬는 어떤 모양일까?"

"근데 엄마, 똥꼬에서 똥도 나온다." 하면서 엉덩이 모양을 그린 후 그 사이로 가늘고 긴 똥을 그렸다.

"우와 그럼 이건 똥이야? 똥이 길게 생겼네."

"어. 이건 고추똥이야."

"고추똥이구나. 근데 고추는 어떻게 알았어? 고추 본 적 있어?"

"어. 고추는 다른 책에 있어." 하며 자연관찰 〈채소와 과일〉책을 꺼내왔다.

이처럼 자연스런 대화로 다른 영역의 책으로 넘어감으로써 편독을 예방하는 시간을 갖는다.

아이가 말이 서툴다면 그림을 그리며 끊임없이 대화를 유도하는 방법이다. 대화를 통해 아이가 생각하게 만들고 어휘를 완성하도록 한다.

이 방법은 책을 읽는 효과, 독후활동을 하는 효과, 생각을 끄집어내는 효과, 어휘력을 키워주는 효과가 있다.

〈달에 토끼가 산다면〉이란 그림책을 읽고는 토끼와 고구마처럼 생긴 달을 그린 적이 있었다. 그런데 달에 자꾸 점을 찍는 거였다.

"엄마. 이건 달이야."

"이건 뭐야? 왜 달에다 점을 찍었어? 달이 싫어서?"

"아니야. 달을 보면 동그라미가 있어."

"어? 동그라미? 그게 뭐지"

아이는 달이 정확하게 그려진 과학책을 가져왔다. 달의 표면을 펼쳤다.

"이거 봐. 달은 동그라미가 있어. 그것도 아주 많아."

"그러네. 정말 동그라미를 많이 가진 달이네."

이때 나는 잠시 고민했다. 이 동그라미를 뭐라고 부르는지 알려주면 아이가 어렵다고 할까? 그림책을 싫어하게 될까? 망설였다.

"근데 이 동그라미도 이름이 있어. '크레이터'야. 이름이 좀 어렵지?"

아이는 눈을 동그랗게 뜨고 날 바라봤다.

"이름이 어려워. 여기에 글로 써 주면 안 돼?"

나는 그림의 움푹 들어간 곳에 다른 색으로 표시를 하고 '크레이터'라고 써줬다. 아이가 읽어 달라고 했다.

"크레이터."

아이는 몇 번 따라하더니 입을 다물었다. 단어가 어려운지 다시 동그라미라고 부르며 집을 돌아다녔다.

아이가 정확히 알고 언어로 표현할 수 있다면 좋다. 하지만 부모가 알려주기 전에 아이 스스로 찾아낸 정보는 더 오래 자신의 지식으로 만들 수 있다. 나는 아이가 발견한 거라면 더 집중해서 알려줘도 좋을 거라 생각했다.

"이 크레이터가 많은 달에서 뭘 하면 좋을까?"

"토끼랑 곰돌이랑 레고로 육식공룡을 만들고 싶어."

나는 질문을 하고 자연스럽게 크레이터란 단어를 한 번 더 말했다.

엄마가 읽어주는 책에서 시작하여 아이가 읽게 하는 책으로 가게 하는 가장 중요한 포인트는 바로 대화다. 대화로 연결된 책을 활용하여 통합형 독서를 만들어 간다. 인간의 뇌에 뉴런과 뉴런사이가 서로 자극을 줘 시냅스가 순식간에 연결되듯 통합형 독서는 아주 짧은 시간에 다른 영역의 책 제목 혹은 일부 그림이나 내용 등으로 가게 한다.

아이는 자신만의 이야기가 담긴 언어를 만들기도 한다. 그림책 〈과자 먹으니까〉를 읽고 나서 생각나는 게 있는지 물었던 적이 있다. 나는 아이의 생각을 메모해 뒀다.

'나는 아빠 배가 생각나요. 아빠는 과자를 100번 먹어요. 그래서 아빠 배는 커다란 세모가 됐어요.'

4살인 아이는 글을 잘 읽을 수 없다. 엄마가 반복해서 책을 읽어줘야 한다. 당연히 글을 쓰지 못한다. 글을 읽고 난 후의 느낌을 묻고 아이가 말을 하면 엄마가 메모해 두는 방식이었다. 어른들은 만들 수 없는 아이만의 언어를 기록해두는 건 엄마의 활동영역이다.

그림책으로 하던 대화는 자연관찰, 과학, 사회, 역사, 전래, 명작, 인물, 전통문화영역 등으로 이어진다. 대화는 또 다른 자신의 그림이 되기도 한다. 이때 글을 거의 떼면서 글쓰기에 관심을 가지기 시작한다.

이 시기 아이를 가진 엄마들이 제일 많이 물어보는 건 "한글 떼기 학습지는 어때요?"다. 이미 주변이 한글 학습지와 다를바 없다. 굳이 학습지를 통해 암기를 시키거나 수동적으로 반복하게 만들어 한글을 떼는 게 필요할지 모르겠다.

학습지를 통해 강압적으로 암기를 시키거나 수동적으로 반복하게 하여 한글을 떼는 것보다는 자연스럽게 능동적으로 한글을 익히게 만드는 걸 추천한다. 돌아다니며 볼 수 있는 간판, 상품의 이름, 책의 제목이 한글 떼기에 좋은 학습지인 셈이다.

영 유아 때 책을 빌리는 것보다 사는 게 중요한 이유 몇 가지가 있다.

너무 어린 아이들은 책을 손으로만 보지 않고 입으로도 보기 때문에 위생적인 문제가 있다. 또 어린아이들은 책을 반복해서 보는 습관이 있기 때문에 지난번에 본 것과 유사할 경우 다시 책을 찾는다.

아이가 아직 책을 읽지 못해 책꽂이에만 책을 꽂아놓고 있다고 해도 제목을 보는 것만으로도 한글공부가 된다.

책 속의 글자가 아닌 그림만 보더라도 공부가 된다. 책으로 한글을 떼는 게 학습지보다 더 효과적인 이유는 책은 다양한 글씨체와 다양한 표현기법으로 구성되었기 때문이다.

만약 학습지 형식으로 '사과'라는 단어를 배운다고 생각해보자. 학습지는 사과가 그려진 카드를 보여주고 '사과'라는 단어를 아이에게 반복시켜 인지시킨다. 이런 경우 사과의 모양이나 색이 달라지거나 사과가 반으로 잘려 있으면 사과인지 알지 못하는 상황이 생기기도 한다.

다양하게 연계하기 쉽지 않아 대화로 이끌기도 쉽지 않다. 질문 거리를 만들기 어렵기 때문이다.

물론 카드 안 사과에 스토리를 입히면 좋은 효과를 보는 것도 사실이다. 하지만 책으로 '사과'를 익히게 되면 사과 하나하나의 스토리를 얻게 된다.

'사과'하면 떠오르는 걸 마인드맵으로 그려보라고 하면 차이를 알 수 있다. 대화와 통합독서를 한 아이들은 빨간색과 초록색의 사과, 사과나무, 과수원, 씨앗과 사과 꽃, 백설 공주 이야기까지 그려낸다. 사과와 관련된 경험지식이 있다면 그 이상을 그려내기도 한다.

색을 공부하는 그림책으로, 나무와 관련된 과학책으로, 백설공주 동화로, 그리고 자연관찰영역의 책으로 연계한 힘이다.

아이를 키운 엄마라면 한 번쯤 경험해봤을 일이다. 글도 읽지 못하는데 다리를 쭉 펴고 앉아서 책을 거꾸로 들고 입을 달싹달싹

거리는 걸 말이다. 멀리서 보면 진짜 책을 읽기라도 하듯이 심지어는 외국어를 유창하게 하는 느낌까지 갖게 하는 모습을 말이다.

아이들은 선천적으로 책을 좋아한다. 책을 싫어하는 아이는 없다. 엄마들이 책에서 학습적인 지식을 욕심내지 않는다면 책은 더없는 인생의 친구가 될 수 있다.

책은 지식을 배우는 수단이 아니라 지혜를 얻는 도구여야 한다. 아이들에게 처음으로 읽히는 그림책이 중요한 이유다. 책을 선택할 때는 그림과 글의 조화를 봐야한다.

좋은 책을 읽으면 좋은 생각을 하게 된다. 어떤 책이든 삶에 영향을 미치고 생각의 선택을 갖게 한다. 옳은 것과 옳지 않은 것을 배우게 된다.

아이들 책은 색감과 글씨, 그림표현도 전부 중요한 요소다. 그러므로 좋은 책을 아끼지 말고 읽혀줘야 한다. 아이의 주변에 멋진 책을 펼쳐 주자. 그건 아이 미래의 길이 된다.

🌱 마음의 눈으로 그림 읽기

　큰아이 돌 때 들어온 돈으로 그림책 세트를 구입했다. 아이는 그림책 한 권을 백 번도 넘게 읽었다. 시장을 갈 때도 산책을 갈 때도 잠을 잘 때도 아이의 손에는 늘 책이 들려있었다.

　아이가 책을 다 읽고 나면 이야기를 나눴다. 책 속에 나온 의성어, 의태어를 흉내 내보기도 하고 책 속의 주인공을 따라 해보기도 했다. 뱀이 나오면 방바닥을 기어 다녀 보고 비가 온 후엔 정말 지렁이가 나오는지 보러 나가기도 했다. 책 속에 나온 사물을 직접 생활 속에서 찾아보는데 시간을 보냈다.

　아이는 책 속에 나오는 인물을 그리는 걸 좋아했다. 4살 때 친구를 초대하는 내용의 책을 읽은 후, 나와 친구들에게 크리스마스 카드를 직접 만들어 주겠다고 했다. 하얀 종이에 일일이 친구들의 얼굴을 그린 카드였다. 글을 쓰지 못해 써달라는 내용을 메모해줬다. 아이는 내 글을 보고 글자를 그대로 그렸다.

그 무렵 장난감가게에 가보니 이 나이 아이들이 좋아하는 게 볼풀이라고 소개했다. 공을 담아두는 풀장의 가격이 만만치 않아 고민했다. 그래서 공만 사가지고 와서 공을 담을 만한 것을 찾아다녔다. 골목에서 커다란 상자를 주워왔다. 아이가 다치지 않게 테두리를 테이프로 감고 안에 공을 담았다.

아이는 사인펜과 크레파스, 스티커를 이용해 상자를 꾸몄다. 상자에는 아이가 지금까지 책에서 봤던 갖가지 그림이 그려져 있었다. 다른 아이들 같으면 싫다고, 풀장을 사달라고 떼를 쓰고도 남았을 텐데 자신만의 공간으로 만들어 놓았다. 아이는 종종 그곳에 들어가 책을 읽었다.

아이와 함께하는 독후활동에 시간을 투자하던 때였다. 주로 책을 읽은 후 관련된 내용의 그림을 그리거나 만들기를 했다. 책을 읽은 후 그림 그리기는 기본이고 쉬운 독후활동이다.

아이가 유치원을 포기했을 때 유치원을 보낼 돈 일부로 다양한 미술 도구를 샀다. 도화지에 여러 가지 다양한 펜으로 선을 그어보게 하는 미술활동을 했다.

선의 두께나 색의 농도가 다르니 각각 느낌이 달랐다. 아이는 신기해했다. 아이가 7살 때, 펜을 이용해 〈나의 하루〉라는 제목으로 시간과 일과를 적은 영어책을 만들었는데 여전히 소중하게 간직하고 있다. 수채화 물감으로는 욕실 타일에 맘대로 그림을 그리고 샤워하면서 지우는 활동을 하게 했다. 넓은 타일 벽에 그림을 그리는 즐거움도 컸지만 지울 때 물에 흘러내리는 물감의 느낌은 아이에게 또 다른 교육이 됐다.

아이가 3학년 때 출판사에서 책 내용과 관련한 그림대회를 연 적이 있다. 이때 아이는 먹을 이용하여 옛이야기에 맞게 그림을 그렸다. 상품으로 예쁜 책꽂이를 받았던 적도 있다.

아이와 음악을 틀어놓고 음악의 느낌을 색과 선으로 표현하는 활동을 했다. 기분이 좋은지 나쁜지 표현할 때 다양한 색깔펜을 사용해 그림을 그려 자신을 들여다보는 시간이 됐다.

아이는 그림 그리는 걸 좋아했다. 내 눈에 보기에 잘 그렸기에 미술에 소질이 있나 싶어서 미술학원에 보내봤다. 끝나는 시간에 맞춰 학원에 갔는데 아이의 표정이 밝지 않았다. 미술 학원 선생님은 아이가 그림을 잘 그렸다며 칭찬을 해 주는데 웬일인지 아이는 말없이 가만히 있었다. 집으로 돌아가는 길에 아이와 대화를 나누었다.

"학원 힘들었어? 힘들면 안 다녀도 돼."

"그게 아니라 엄마……. 밖에서 있었던 일을 도화지에 그리라고 해서 내가 비오는 날 엄마랑 놀았던 걸 그리려고 하늘을 까만색으로 칠했어. 그랬더니 선생님이 하늘은 하늘색으로 칠해야 한다는 거야. 그래서 아니라고 했더니 선생님이 고집이 세다면서 하늘을 마음대로 칠해버렸어. 나는 비오는 날이니까 하늘을 검은색으로 칠하려고 한 건데. 엄마, 한 번 만 더 가보고 선생님이 자꾸 내 그림에 색칠하면 그냥 안가도 돼?"

"그럼."

이렇게 하루 더 간 미술학원은 결국 못 다니게 되었다.

연암 박지원의 〈창애에게 답함〉이라는 글에는 이런 일화가 나온다. 서당에서 천자문을 가르치는데 꼬맹이 녀석 하나가 계속 딴청만 피워 훈장님이 화가 났다.

"이놈!" 하고 야단을 치자, 아이는 이렇게 말했다고 한다.

"저 하늘을 보면 파랗기만 한데, 하늘 천(天)자는 파랗지가 않으니 읽기 싫어요."

딸이 경험한 이야기는 이 일화와 다르지 않다. 나는 이 일화도 옳고 딸아이의 생각도 옳다고 생각한다.

아이는 집에서 다양한 그림을 그렸다. 독후활동으로 했던 그리기 시간이 기본 색감이나 그림을 이해하는 솜씨를 갖게 했다고 믿는다.

색은 그 자체로도 감정과 의미를 포함하고 있다. 아이들에게 의도적으로 다양한 색을 보여주고 경험하게 하는 게 중요한 교육이라고 생각한다. 자연에서 얻는 색이야말로 제대로 된 교육이다.

아이들이 자연스럽게 색을 칠해보고, 만들어보고 느낌과 색을 연결하게 하는 건 중요한 일이다. 연결한 뒤에 자연을 보고 말하게 하면 자신만의 그림과 언어를 만들게 된다.

아이와 색을 칠하면서 종종 '색'에 대한 이야기를 했다.

"가장 좋아하는 색은 뭐야? 왜 좋아?"

"그 색의 느낌은 어때?"

"가족을 색으로 표현하면 어떤 색이 될까? 왜 그런 색으로 표현했어?"

"친구란 단어를 색으로 표현해보면 어떤 색이 될까?"

이런 식의 대화를 나누었다. 색을 그저 외우는 게 아닌 느낌까지 가질 수 있도록 만들어 주고 싶었다.

책을 읽고 하는 다양한 이야기와 그림은 아이가 커서도 도움이 된다. 리포트 수준의 책을 완성하게도 하고, 글쓰기를 따로 배우지 않았음에도 글 쓰는 실력을 늘게 한다. 그림을 잘 그리지는 못해도 그림의 느낌과 색감 이해가 빨라진다.

책을 읽는 것만 독서라고 할 수 없다. 생활을 읽는 일도 독서다. 김치를 담그는 경우는 김치가 그대로 독후활동이 된다. 김치에 관한 책을 읽고 김치에 들어가는 다양한 재료를 찾아본다. 하나씩 맛을 보고 느낌을 표현하기도 한다.

또 재료에 따른 단위표현도 좋다. 아이가 처음에 말을 배우면서 사물마다 단위가 다른 것을 어려워했다. 양말은 짝, 연필은 다스, 두부는 모, 차는 대라고 말을 해도 금세 까먹었다. 생활을 읽히게 만들면 쉽게 습득하게 만들 수 있다.

"김치를 담그려면 뭐가 필요할까?"

"배추, 무, 파, 고추, 마늘, 생강…"

"많은 채소가 필요하구나."

"근데 더 많이 필요해 할머니는 젓갈도 넣어."

"그렇구나! 채소들을 셀 때는 어떻게 불러줘야 할까?"

"무는 개, 파는 묶음, 어… 배추는 포기. 어? 포기? 배추를 포기하면 김치를 못 먹는데, 큰일이네! 히히히 그치 엄마!"

아이는 뜬금없는 이야기를 하며 웃기도 한다. 단어의 의미를 정확하게 못 찾더라도, 단어의 다양한 뜻을 이해하고 있었다.

나는 책에 나오는 사물과 단위 짝 찾기 놀이를 했다. 그리고 생활에서 자연스럽게 습득하는 방법을 써먹었다.

"호영아 방에 있는 서랍장 제일 밑 칸을 열면 초록색 양말 두 개가 한 짝이야. 그 양말 한 짝 찾아올 수 있지?"

이럴 땐 일부러 양말을 짝지어두지 않는다 아이 스스로 찾아오게 섞어둔다. 별거 아닌 것 같지만 이런 작은 행동은 아이의 머릿속에 시각적인 자료로 남는다.

'아이와의 작은 대화를 늘릴수록 큰 아이로 클 거야!' 라고 늘 마음에 되새겼다.

표현력을 늘리기 위해 '오감 느끼기' 활동을 했다. 글을 쓸 때도 마찬가지다.

예를 들어 엄마를 주제로 독후활동을 한다면, 엄마의 냄새, 엄마와 어울리는 맛, 엄마의 촉감, 엄마의 모습, 엄마의 목소리로 글을 써보게 한다. 이런 훈련으로 통합적인 사고를 키워주고, 동시에 오감을 느끼게 만든다. 이런 훈련은 스스로 생각을 정리하게 하고 자연스럽게 글쓰기를 돕는다. 아이는 처음부터 뛰어난 아이가 아니다. 처음부터 뛰어난 글 솜씨를 갖고 있는 것도 아니다. 하지만 어릴 적부터 함께 읽어온 책은 아이가 스스로 생각을 정리할 힘을 키워준다. 자연스럽게 글쓰기 실력까지 늘어난다.

초등학교 5, 6학년 방학 때는 나라별로 정리한 책을 만들어보기도 했다. 몽골, 미국, 일본, 러시아, 영국, 인도, 중국 등 아이가 관심 있는 나라를 대상으로 만들었다. 이 책은 아직도 집에 보관하고 있지만 몇몇 책은 분실됐다. 아이가 사교육 하나 없이 어떻게 혼자서 시간을 보냈는 지를 여실히 보여주는 값진 책이다.

특히 중국을 주제로 만든 책은 보는 이마다 탄성을 자아내게 한다. 중국을 사전적으로 소개한 후, 중국을 대표하는 것을 그림으로 표현했다. 중국의 유명한 사람을 소개하고, 중국 연표를 정리했다. 뒤에는 중국에서 자신이 가장 관심을 갖고 있는 부분에 대해 표현했다. 소책자 출판이 가능하다면 이 책을 아이들 용으로 출간하고 싶다는 생각이 들 정도였다.

아이의 글쓰기 실력을 키워주기 위해서 집에서 했던 활동은 책 읽기와 그 책으로 다시 자신만의 책 만들기가 주된 활동이었다. 그리고 백과사전이나 신문을 필사하는 방법도 사용했다. 신문 필사는 오랫동안 지속하지 못해 아쉽긴 하지만 아이의 생각 정리나 글쓰기의 용어정리에 큰 도움이 되었다.

이쯤에서 많이 듣는 질문은 "독후활동을 꼭 해야 하나요?"이다.

아니다. 책은 책 자체로써의 가치를 지니고 있다. 책을 읽고 일어나는 마음의 동요나, 생각의 움직임이 있다면 충분하다. 다만 시간이 지나 사라지는 생각을 붙잡아 두고 생각을 정확하게 정리하는 걸 독후활동이라고 정의 내린다면, 중요한 일임은 분명하다. 물론 독후활동은 내용에 따라서 혹은 아이의 상황에 따라서 어떤 것을 할지도 중요하다.

교육의 역할은 아이 재능에 맞게 선택하고 완성하도록 방향을 제시하는 것이라고 본다. 그렇다면 더더욱 스스로 활동하게 하고 완성해 나가는 삶이 되도록 기회를 줘야 한다. 기회는 시간에서 온다. 여기저기 학원으로 바쁘게 돌아다니는 아이들에게 사색의 시간은 존재하지 않는다.

요즘 아이들에게 가장 많이 듣는 말이 두 가지 있다.

"저 완전 바빠요. 책 읽을 시간이 아예 없어요."

"잘 모르겠어요."

책 읽을 시간이 없다는 아이에게 책을 읽은 후 생각을 공유하기란 어렵다. 대략적인 내용을 설명해주고 생각을 물어봐도 아이들은 잘 모르겠다는 말만 한다. 생각이 없어서가 아니라 생각하는 시간을 가져 본 적이 없어서다.

상상력과 창의력을 길러주는 활동도 중요하지만 그 전에 아이에게 반드시 필요한 것이 바로 사색의 시간이다. 요즘 아이들에게 가장 필요한 건 여유다. 여유로움에 다양한 사람들의 생각이 깃든 독후활동을 덧입혀준다면 아이들의 생각의 키는 더욱 커진다.

아이를 사랑한다면, 아이를 제대로 키우고 싶다면 학원이 아닌 서점과 도서관으로 함께 가라. 그곳에서 아이에게 자유 시간을 만들어 주는 일부터 시작해야 한다.

아이에게 그림책을 읽힐 때 표지부터 하나하나 읽히는 것은 생각의 유연성을 키워준다. 아이들에게 〈곰 사냥을 떠나자〉 책을 읽어주기 전 표지를 보여주면서 누가 보이는지 질문했다. 책을 펼치지 않고 앞표지만 보여줬다. 그러면 아빠와 아이들만 보이고 엄마가 없다는 걸 알게 된다.

"엄마는 어디에 있을까?"

표지를 이용해 질문을 한다.

"집에서 밥을 준비하고 있어요."

"엄마는 회사에서 아직 안 끝났어요."

"엄마가 원래 없어요."

다양한 의견이 나온다.

"그렇구나. 그럼 이 그림을 함께 보자."

뒤표지까지 펼쳐서 보여주면 뒤표지에 그려져 있는 엄마와 그 뒤를 따르는 개를 발견한다. 아이들은 소리를 지른다. 숨겨진 표지 하나로도 아이들에게 다양한 질문을 할 수 있다.

이 책은 앞과 뒤 속표지 그림이 다르다. 속표지만으로도 많은 대화를 할 수 있다. 아이들에게 앞 속표지와 뒤 속표지의 그림을 잘 들여다보고 차이를 찾아보라고 했다.

"앞은 아침이고, 뒤는 저녁이에요."

"뒤에 있는 곰이 쓸쓸해 보여요."

"왜 곰은 쓸쓸해 보이는 걸까?"

적당한 대답에서 다시 질문을 한다.

"외로워서요. 아까 찾아온 친구들과 놀고 싶은데 아이들이 다 가버렸어요."

"겨울잠을 자려고 해요. 힘이 없어서 그래요."

"저녁이 되었는데 종일 아무것도 못 먹어서 배고파서 그래요."

곰의 등 하나만으로도 아이들은 다양한 상상을 한다.

책을 읽으면서 대화를 이끄는 일은 아이들뿐만 아니라, 어른에게도 신나고 재미난 일이다. 어른들이 생각하지 못하는 언어를 생각하기도 하고 감동적인 말을 하기도 한다. 책 내용에 들어가기도 전부터 표지만으로도 많은 이야기를 나눌 수 있다.

"그럼 우리 이 곰이 왜 이렇게 쓸쓸해 보이는지 책을 한 번 읽어보자."

그림으로 먼저 흥미를 이끌어내면 아이들은 책에 더 깊게 빠져든다. 집중력을 높여 그림책을 본다. 억지로 책을 읽히거나 독후활동을 따로 하는 방법도 있다. 하지만 이렇게 그림책 표지로도 충분한 대화를 나눌 수 있고 아이들의 흥미를 이끌 수 있다. 이 책은 독후활동보다 독전활동이 더 활발한 책이다.

책은 많은 것들을 담고 있다. 글만 읽고 마는 것이 아니라 그림으로도 말할 수 있는 것이 바로 책이다. 책 속의 글, 그림 하나하나와 대화를 하자. 이야기 속 주인공들이 우리아이들 꿈속으로 오늘 밤 찾아올 수도 있다.

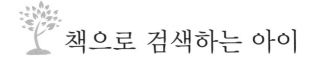

책으로 검색하는 아이

내가 어릴 적부터 할 수 있는 일은 책 읽기 뿐이었다. 어느 분야의 전문가가 되려면 능력이 있어야 하지만 책 읽기는 타고난 능력이 없어도 가능했다.

"선생님은 어떻게 그렇게 똑똑하세요?"

"선생님은 모르는 게 없는 것 같아요."

이런 얼토당토않은 질문에 대한 내 답은 한결같았다.

"전 느려요. 남들보다 더 똑똑하지도 않아요. 그래서 남보다 더 책을 열심히 읽을 뿐이에요. 남이 한 번 볼 때 저는 열 번을 봐요. 남이 한 번 듣고 이해하는 걸, 전 생각하고 생각해야 하나를 겨우 깨달아요. 남보다 더 하다 보니, 보통의 생각에 내 생각까지 더해진 또 다른 생각이 나온 것뿐이에요. 결코 똑똑한 게 아니에요."

나를 깊이 있게 만나온 사람은 나에게 이런 말을 한다.

"막노동꾼이 현장에서 오랜 시간 잔뼈가 굵어 그 분야 최고가 되듯이 선생님은 마치 현장에서 뒹굴고 닳아서 잔뼈가 굵어진 살아있는 현장 전문가 같아요. 이론적인 전문가와 뭔가가 달라요. 어쩔 땐 〈그리스인 조르바〉의 조르바 같아요."

내가 조선후기의 실학자 이덕무를 존경하는 이유 중 하나는 학문을 대하는 그의 변함없는 태도 때문이다. 처음 그를 알았을 때 나도 할 수 있다는 희망을 얻었다. 나는 머리가 좋은 것도 아니고 번뜩이는 생각이 있는 것도 아니다.

행동이 바지런하고 빠른것도 아니다. 하지만 남보다 하나만 더 해보자란 생각으로 살았다. 아이들에게도 이것만은 가르치고 싶었다.

'느려도 괜찮아. 꾸준하게 하면 돼.'

아이를 위한 교육으로 어떤 방법이 좋을지 고민이 많았다. 생각해낸 방법 중 하나가 '백과사전 읽고 쓰기'였다.

가장 많이 받는 질문 중 하나는 "책을 사려고 하는데 어떤 책이 좋나요?"이다. 내 딴에 대답을 하지만, 내 대답은 다른 질문을 낳는다. 전래동화가 중요하다고 하면 어느 출판사에서 나온 책을 사야 하는지 묻는다. 역사가 중요하다고 하면 좋은 역사책을 소개해 달라고 한다.

이때가 가장 난감하다. 난 모든 책을 좋아하는 사람이다. 어떤 특정 부분을 하나하나 꼬집어서 말하는 건 어렵다. 그렇다고 모든 책을 다 빌려보라고, 혹은 전부 사라고 할 수 없는 노릇이다. 나는 이런 엄마들에게 말한다.

"제가 얘기하는 책을 다 사실건가요?"

"어머님들, 제가 생각하는 출판사의 장단점을 이야기하면 그 출판사 책만 골라 사실건가요?"

"인생에 정답이 있나요? 교육에 정답이 있나요?"

진짜 하고 싶은 이야기는 이거다.

"제가 좋아하는 책이 어머님 맘에 안 들 수도 있어요. 우리는 좋은데 아이는 싫다고 할 수 있어요. 제가 아이를 만나보지도 않고 아이와 대화도 해보지 않고 어떤 책이 좋다고 말해줄 수 있을까요? 다만 아이의 취향에 따라 전래동화를 먼저 볼 것인지, 명작을 먼저 볼 것인지를 선택할 방법, 역사를 싫어하는 아이에게 다가가기 쉬운 역사책, 역사에 흠뻑 빠져있는 아이에게 알려주고 싶은 책. 이렇게 구분해 줄 수는 있어요. 하지만 어머님의 아이를 위한 책을 제가 알려주긴 힘들겠죠."

이 이야기를 해도 소용이 없다. 무조건 모든 아이에게 좋은 책을 알려달라고 한다. 그럼 나는 최후의 답변을 한다.

"백과사전을 이용해보세요."

"백과사전요? 그건 너무 크고 두껍고 비싸서… 그리고 요즘엔 인터넷이 있으니까⋯⋯."

"그렇죠? 백과사전이 집집마다 장식용이 된지 오래죠? 앞에 있으면 있어 보이는 장식용. 종이신문과 인터넷뉴스, 종이책과 전자책을 비교해서 보라고 한다면 어떻게 생각하시나요? 제가 알던 어떤 엄마는 그림책 볼 나이의 아이에게 백과사전을 사주었다고 해요. 아이는 백과사전에 나오는 그림 때문에 그림책처럼 사전을 들고 다녔대요. 지리부분이 나온 백과사전을 들고 다녔는데, 처음에는 그림을 보다가 나중에는 엄마 아빠에게 질문도 하고, 글을 알고 나서는 그림을 따라 그리기도 했대요. 가족여행을 하면 자신이 백과사전에서 본 이야기를 줄줄 하더래요. 그 뒤로 부모님이 아이와 지리를 함께 공부하게 되었다고 해요. 백과사전을 하도 봐서 너덜너덜해졌는데, 아이가 4학년 때 지리영역 백과사전만 출판사에 주문해서 더 샀다고 하더라고요. 전 큰아이를 키울 때 백과사전을 일찍 사주지 못한 걸 제일 후회해요. 백과사전은 궁금한 부분을 단순히 찾는 것에서 끝나는 게 아니에요. 하나에서 둘로 가게 하는 책이지요. 인터넷에서 하나의 정보를 찾고 연관검색어를 찾는 것과 같아요. 물론, 인터넷처럼 쉬운 방법이 있지만 옆에 떠있는 연관검색어를 클릭해서 따라가는 것이 아니라 자신이 손으로 찾아가는 방법에서부터 머리 쓰기의 힘이 달라져요."

그럼 다시 질문은 똑같아 진다.

"그럼 좋은 백과사전 좀 추천해 주세요."

"백과사전도 마찬가지예요. 좋고 나쁘고를 따질 수 없어요. 최근에는 백과사전을 만드는 출판사가 많지 않고, 증보판을 내는 출판사가 적으니까 선택이 쉬울 수 있어요. 새로운 지식의 정보를 주는 증보판을 내는 백과가 아니면 백과도 그 가치가 없어져요. 찾아보면 분명 좋은 게 무엇인지 아실 거예요."

나는 큰아이 초등학교 입학선물로 백과사전을 사주었다. 처음에 아이는 권수가 많고 두꺼운 백과사전을 막연하게 두려워했다. 처음으로 책에 대한 거부감을 보였다. 백과사전은 몇 달간 명품 장식물이 되었다. 안 되겠다 싶었다. 교과 과정에서 나오는 용어를 정리하는 사전과 보고 싶은 사전을 하루에 하나씩 골라 읽어보기로 했다.

당시 '슬기로운 생활'이라는 과목이 있었다. 과목에 나오는 용어를 하나씩 정해서 백과사전으로 다시 읽게 만들었다. 그리고 궁금한 용어를 찾아 읽고 요약 정리하도록 했다. 일명 '백과노트'를 만들도록 했다. 처음에는 아이가 요약을 힘들어 했지만 차츰 자신만의 방식으로 요약본 노트를 만들어 나갔다.

예를 들어 '태풍' 단어를 백과에서 찾으면 먼저 영어와 한자로 써 본다. 아이가 영어와 한자를 잘 몰라도 무조건 따라 써 보게 하고 읽어보게 했다. 영어 공부와 한자 공부를 따로 시키지 않아도 자연스럽게 단어 공부가 되었다.

다음으로 백과사전에 명시된 '태풍'에 관한 첫 문장을 그대로 따라 쓰게 했다. 대개 첫 문장은 단어를 정의내린 문장이기 때문이다. 두 번째 문장부터는 조사를 빼거나 더해도 좋고, 문장의 단어를 가감하는 방법으로 요약하게 했다.

평균적으로 5문장 이상을 썼다. 아이는 단어를 이해하게 되었고 글을 요약하는 힘을 키우게 되었다. 필사를 칸 노트에 시켰다. 그렇게 되면 자연스럽게 띄어쓰기를 익힐 수 있게 된다. 그리고 한 번씩 소리 내 읽게 만들었다. 어려운 단어의 받침이 바뀌는 차이를 쉽게 익히는 장점이 있었다.

아이는 자신이 이해한 내용이나 첨부된 사진을 자신의 방식으로 그림으로 표현하기도 했다. 따로 미술을 배우지 않고도 그림으로써 표현력을 배우게 된다. 이 활동은 마인드맵 형식에 적절히 활용하는 도우미 역할을 했다. 다른 곳에서 찾아낸 관련 자료가 있으면 함께 덧붙여 놓는 방식으로 정리를 마무리했다.

인터넷과 스마트폰, 전자책이 교육의 자리를 차지한 지 얼마나 되었을까!

한 번은 아이와 〈나비박사 석주명〉 책을 읽은 후 나비를 조사하려 했다. 나비는 주제가 어렵지 않을 거라 생각해 백과사전 대신 인터넷으로 조사하기로 했다.

모니터 가득 야한 옷을 입고 나비문신을 한 모델들 사진이 떠서

당황한 적이 있다. 지금은 나비를 검색하면 함평나비축제가 나오지만 이런 이유로도 백과사전 찾기를 권한다. 정확한 언어정리와 문장을 익히고, 정리하는 힘을 얻는 건 백과사전이다.

전자기기는 인간의 오감을 자극하던 교육을 무너뜨리고 있다. 눈으로 읽고, 소리 내어 읽고, 귀로 다시 듣고, 손으로 책을 넘기고, 쓰고, 책에서 풍기는 종이의 향을 맡고, 머릿속의 사색과 기쁨의 향연이 있었던 시대는 편리하고 빠른 전자기기 시대로 사라져 버렸다.

종이로 만들어진 책과 사전 대신 전자기기를 손에 쥐어주는 건 부모들이다. 백과란 단어자체가 고리타분해진 시대임을 인정한다. 그래도 난 고리타분하지만 묵직한 교육법이 좋다.

느긋이 앉아서 백과사전을 읽다가 잘 모르는 내용이 나오면 문장 밑에 밑줄을 그어보고 이 문장 속 단어가 의미하는 바는 무엇일까? 질문을 만들어보고 그 질문을 해결해보고자 또 다른 책을 찾아서 읽어본다. 내가 좋아하는 통합교육의 원천은 이 방법이다.

큰아이는 문제집으로 문제를 푸는 대신 백과사전을 읽었다. 학교에서 공부한 걸 사전을 통해 이해하고 생각하며 시간을 보냈다. 그러자 둘째가 그 모습을 따라했다. 글을 제대로 읽을 수 없는 나이에 언니가 읽는 백과사전을 끙끙 대고 가져오더니, 자기 다리 위에 올려놓고 중얼중얼 소리를 내며 읽는 시늉을 하는 것이다.

자기 무게만큼이나 무거운 백과사전을 거꾸로 놓고서 말이다.

물론 둘째도 학교를 다니면서 백과정리를 했다. 백과사전은 아이들이 학습하는데 가장 완벽한 도서중 하나에 속한다.

얼마 전 만났던 학부모는 아이들이 백과사전을 보지 않아서 그냥 팔아버렸다고 했다. 대부분의 엄마들이 먼지만 끼고 자리만 차지하는 백과사전을 갖다 버리고 싶은 심정이라고 말한다.

백과는 단행본보다 가격이 비싸다. 그런데 자주 들여다보기가 쉽지 않다. 엄마들은 백과사전의 효용가치를 의심하고 누군가에게 양도하는 쪽을 선택한다.

하지만 생각해보면 백과사전에 들어있는 지식의 양이야 말로 방대하다. 그 방대한 내용의 정보를 담고 있는 백과를 절대 한 번에 볼 수는 없다. 조급하게 보는 책이 결코 아니다. 시간을 두고 온가족이 함께 '찾아보기'를 하고. 색인으로 사용해야 한다.

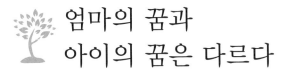

엄마의 꿈과
아이의 꿈은 다르다

아이를 키우는 건 극도의 에너지를 필요로 한다. 아이가 어리면 어린대로 학교를 다닐 만큼 크면 큰대로 힘든 일은 계속된다. 언제가 더 힘들고, 덜 힘들다고 말할 수 없다. 임신 7개월이 지날 때, 무거워진 배에 힘들어 하기 시작하면 어른들은 이렇게 말한다.

"아이고, 애 낳아봐라. 그래도 뱃속에 있을 때가 좋지, 어딜 가자고 하냐 말을 안 듣길 하냐. 지금이 좋은 거야."

그리고 아이를 낳고 시도 때도 없이 울어대는 아이를 감당하지 못해 힘들어 하면, 이렇게 말한다.

"아이고, 그래도 누워 있을 때가 편하지. 기고 걷기 시작해봐

라. 계속 따라 다녀야 해서 더 힘들어."

그러다 아이가 기고 걷기 시작하면 이제는 아이가 넘어질까, 다칠까 잠시도 눈을 뗄 수가 없어 힘들어진다. 집안일은 아이가 잠이 들어서야 가능하다. 어쩔 땐 아이가 깰까봐 청소기 한 번 제대로 돌리기 어렵다고 투덜대면, 이렇게 말한다.

"그래도 이때는 예쁘기라도 하지. 더 크면 잘 때만 예쁘다."

단어가 아닌 문장으로 말을 하기 시작하고 거기에 자신의 의사 표현까지 할 수 있게 되면 아이는 자신의 생각을 표현하기 위해 아무데서나 막무가내다. 마트 한복판에서 뒹굴고 길거리에서 마구 소리 지른다. 창피하고 주변 사람들에게 미안함에 어쩔 줄 몰라 하며 화를 내면, 어른들은 또 이렇게 말한다.

"지금은 말이라도 하지. 조금 더 커봐라. 집에 오면 아무 말도 안 해서 도대체 뭔 생각인지 몰라서 속 터진다."

아이가 학교에 다니기 시작하면 엄마들은 하나 둘씩 아이의 현실을 깨닫는다.

'어릴 땐 천재 같이 한 번 말하면 다 외우고, 말도 그렇게 잘하더니… 시험만 보면 점수가 이게 뭐야' 엄마의 환상은 와장창 깨지고 만다.

그래도 '내 아이'에 대한 집착을 놓기란 쉽지 않다. 엄마들은 깨진 환상의 조각들을 붙잡고 놓지 않는다. 아이 학년이 올라갈수록 엄마들은 깨진 환상의 조각을 붙이기 시작한다. '우리 아이가 예전에 평균 90점은 넘었지. 학원을 바꾸거나 과외를 시키면 다시 올라갈 거야.' 막연한 기대감으로 엄마 욕심에 맞춰서 사교육을 시킨다.

아이가 중학교 2학년 쯤 나이가 되면 엄마는 아이와 소통의 부재를 경험한다. 중학교 아이들은 새로운 호르몬의 분비로 자신도 모르는 자신과의 싸움에 정신이 없다. 그 와중에 수업 과정은 점점 어려워지고 부모의 기대치가 높아진 걸 느낀다. 누구나 자신의 입장에서 생각하는 사람이 없다고 생각한다.

엄마의 높은 기대와 아이의 불만은 벽을 만들고 소통은 사라진다.

〈만다라〉 김성동 작가는 이런 말을 했다.

"배고픔은 견디기 힘들고, 배고픔보다 더 힘든 건 외로움이고, 그보다 더 힘든 것이 그리움이다."

이 시기의 아이들은 외로움과 그리움, 두려움까지 겹친 시간을 이겨내야 한다. 내면 깊숙이 터져 나오려는 무언가를 발산 할 장소, 발산을 받아줄 누군가만 있어도 충분하다. 이때의 에너지가 아이를 성장시키는 무한 에너지로 바뀔 텐데 그러지 못하는 현실이 안타깝다.

고등학교로 진학하게 되면 아이들은 꿈이란 무거운 단어에 깔린다.

나는 종종 만나는 사람들에게 물어본다.

"꿈이 있나요? 꿈이 뭐예요?"

많은 어른들도 이 질문에 순간 멈칫한다.

"글쎄요."

"뭐, 그냥 사는 거죠."

"이 나이에 무슨 꿈이에요."

단순한 답변만 나온다. 어른들에게도 버거운 질문이 바로 '꿈'이다. 그러면서도 아이들에게는 꿈을 강조한다. 꿈이 없다고 하면 마치 잘못 살고 있는 것처럼 아이를 대하기도 한다.

꿈은 많은 경험과 생각을 통해 그리고 관심과 자신에 대한 이해가 있을 때 생긴다. 경험할 시간도 생각할 여유도 다 뺏어버리면서 꿈을 운운하는 건 모순이다. 꿈은 멀리 있거나 어렵지 않다. 어떤 한 사람을 만나서 꿈이 생기기도 하고, 책을 통해 꿈을 꾸기도 한다.

어느 날 큰딸이 나에게 "엄마는 어떤 사람이야? 엄마의 전문 분야가 뭐야?"라고 질문했다. 나는 작년까지도 이 질문에 대해 선뜻 대답하지 못했다. 나를 나타내는 명확한 단어를 만들기 위해 노력했다. 이제 자신 있게 답할 수 있다.

"엄마? 엄마야 독서교육가지."

정확하게 말하는 건 우물쭈물 말했을 때와 다르다. 아이가 나를 바라보는 눈빛이 달라짐을 느꼈다.

엄마들에게 묻고 싶다.

"어머님은 어떤 사람인가요? 자신에 대해 말해보세요."

대부분이 명확하게 말하기 어려워할 것이다. 착각은 여기서부터 시작된다. 엄마들은 하지 않으면서 아이들은 무조건 하기를 원한다. 무거운 책임까지 아이에게 전가시키려 한다.

엄마의 못 이룬 꿈을 아이가 이뤄줬음 한다는 것.

옆집 아이보다 우리 아이의 꿈이 더 크기를 바란다는 것.

사회적인 인식에 걸맞은 꿈의 크기와 모양새를 갖추기를 원하는 것.

하지만 이 생각은 잘못된 생각이다. 아이를 바꾸는 최소한의 노력은 부모의 모습이다. 아이 눈에 보이는 부모의 모습이 미래 아이의 모습이라고 생각해야 한다.

부모가 먼저 변해야 한다. 텔레비전 리모컨 대신 책을 잡아야 하고, 카페에 앉아 수다를 떠는 대신 펜을 꺼내 생각을 정리해야 한다. 옆집 아줌마들과의 대화시간보다 내 아이의 눈을 바라보며 대화하는 시간을 늘려야 한다.

부모란 어렵다. 내가 부모가 된 그 순간부터 어렵다. 아이를 먹이고, 입히고, 가르치기만 한다면 어렵다는 말은 필요 없을지도 모른다. 하지만 놀아주고, 안아주고, 들어주고, 공감해주고 늘 믿어주며 사랑해줘야 하기 때문에 어렵다.

사랑, 행복, 믿음, 정성. 모두 아이를 키울 때 필요한 말이다.

우리는 부모가 되면 돈이 있어야 한다는 부담을 갖고 있다. 돈으로 산 정성어린 물건, 돈으로 산 행복 담긴 물건이 아이에 대한 교육이라고 여기기도 한다.

나도 가끔씩 그런 생각을 한다. 돈이 있었다면 아이가 원하는 발레를 계속 시켰을 것 같고, 아이에게 비싼 영어 과외를 시켜서 더 좋은 길로 가게 만들었을 것만 같다. 아이에게 해외여행이나 연수를 보냈으면 좋겠다는 생각까지… 돈으로 할 수 있는 다양한 교육을 떠올린다.

반대로 이런 생각을 한다. 돈으로 공부를 시켰다면 아이가 몰입하고 흥미를 갖는 게 가능했을까?

엄마의 돈은 아이의 행복과 비례하지 않는다.

나는 돈이 없어 좋은 교재를 구할 수 없었다. 더 많은 생각을 해야 했다. 아이와 함께 아이디어가 가득한 놀이를 만들었다. 그 결과 아이의 창의성을 발전시켰다. 그리고 스스로 행복해했다.

워킹맘으로 시간이 넉넉하지 않았다. 바쁘면 바쁜 대로 5분, 10분이라는 자투리 시간도 활용했다. 아이와 정서를 공유하는 시간은 돈과 관계있지 않다. 공유하는 시간이 있는지가 중요하다.

나는 돈과 시간이 부족한 만큼 아이에게 절약과 시간 활용을 가르쳤다. 우리 집의 부족한 상황은 아이의 행복에 비례하게 됐다.

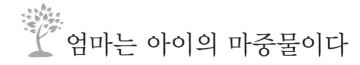

엄마는 아이의 마중물이다

"저도 아이와 보내는 시간이 많았거든요. 학원도 많이 안 보냈어요. 그런데도 아이가 제 마음대로 안 돼요."

"아이 마음에만 맞추려고 하니까 안 되죠."

얼마 전 나를 찾아온 선생님과 나눈 대화내용이다. 이 선생님은 아이와 함께하는 시간을 많이 가졌다. 아이가 원하지 않는 걸 강요하지도 않았다. 그런데 문제는 아이를 너무 풀어준 일이다.

엄마는 밀당의 고수가 되어야 한다. 아이가 원하는 대로만 해주면 안 된다. 그렇다고 부모가 원하는 대로 해도 안 되는 게 교육이다. 아이를 너무 강압적으로 잡아끌어도 안 되고, 너무 해이하게 풀어줘도 안 되는 게 교육이다. 어느 하나 명확한 게 없다. 이래서 어렵다고 말하는지도 모른다.

아이와의 밀당에서 고수인 엄마는 아이를 언제 잡아줘야 하는지, 언제 풀어줘야 하는지 안다. 세게 잡아야 하는지, 살짝 잡아야 하는지 알고 풀어 줘야할 때도 알고 있다. 하지만 대부분의 엄마들은 아이와의 밀당에 실패한다.

아이들은 갑자기 학교에 가기 싫다고 말하기도 한다.

"엄마, 나 학교 가기 싫어."

"왜?"

"그냥 엄마랑 놀면 안 돼?"

"그래. 엄마도 오늘 일 안하고 딸하고 놀고 싶은데. 그럼 오늘은 엄마랑 놀자."

이런 날은 엄마와 놀고 싶다는 아이의 마음을 알아주고 학교에 가기 싫은 아이의 마음도 이해해줘야 한다.

똑같이 학교에 가기 싫어하지만 이유가 다른 날이 있다.

"엄마, 나 학교 가기 싫어."

"왜?"

"그냥 가기 싫어."

"가기 싫구나. 그럼 안가도 되는데 대신 선생님께는 네가 직접 이유를 설명해야해."

학교에 시험이 있다거나 아이에게 부담되는 일이 주어지는 날에는 '그냥 가기 싫다'고 하는 경우가 있다. 학교를 가지 않는 선택은 가능하지만 책임은 본인이 져야 한다는 것을 확실히 알려줘야 한다.

아이가 초등학교 3학년이 막 시작되었을 무렵이었다. 뜬금없는 말을 꺼냈다.

"엄마, 근데 왜 공부를 해야 하지? 안 하면 안 되나? 난 놀고 싶은데."

"그러게 공부를 왜 할까? 사람마다 다르지 않을까? 엄마는 호기심에 공부를 하는데 다른 사람들은 왜 할까? 공부를 하다 보면 새로운 걸 알게 되는데 그게 너무 신기하고 흥미로워. 너도 네가 왜 공부를 하는지 생각해야 될 것 같아. 그리고 공부를 안 하고 싶으면 안 해도 돼. 꼭 해야 하는 건 아니야."

"그래? 그럼 나 공부 안하고 놀아도 돼?"

"그래. 그럼 놀아. 대신 엄마가 항상 말했듯이 책임은 네 몫이야. 그리고 공부를 안 하고 싶으면 학교도 안 갈 건지 아니면 학교는 가는데 그 외에 평소 해오던 공부, 독서, 엄마가 내 준 숙제를 안 한다는 건지도 정해서 말해줘."

"학교는 친구들이 있고 선생님도 좋으니까 무조건 갈 거야. 그리고 학교 숙제만 하고 다른 건 안 할 거야. 그 시간에 친구들하고 놀 거야.”

“좋아. 일주일 동안 맘대로 할 시간을 줄게. 그러고 나서 확실히 약속을 하자. 일단 집에 들어오는 시간이나 기본약속은 지켜야 해. 그럼 하고 싶은 대로 해도 좋아. 대신에 집에서 엄마를 좀 도와줘.”

“오예!”

아이는 이틀 동안은 신나했다. 그런데 4일 정도 흐르자 표정이 굳어지면서 이렇게 말했다.

“엄마 공부가 세상에서 제일 쉬운 거 같아. 매일 노니까 재미도 없고, 청소랑 설거지 돕는 거 힘들어. 그냥 책 읽고 엄마랑 그림도 그리고 책이야기도 하는 게 훨씬 쉬워. 나 그냥 오늘부터 다시 공부하면 안 될까?”

“안 되는데. 일주일이 아직 안되었는데……. 어쩌지?”

나는 한참 뜸을 들인 후 마지못해 아이에게 허락을 했다.

밀당은 어려운 일이 아니다. 이런 밀당을 하려면 아이가 원하는 게 무엇인지 파악해야 한다. 물론 이렇게 아이를 파악하는 게 하루아침에 되는 건 아니다. 아이에 대한 파악은 아이의 유아 시절 함께 보낸 시간들에서 온다.

이미 유아 시절이 지났다면 자라면서 함께하는 아이와의 대화에서 키울 수 있다. 그 관심이 바로 아이를 흔들리지 않게 곧게 세우는 교육의 시발점이고 엄마의 마중물이다. 시간이 날 때마다 이야기하는 관심 한 바가지, 시간이 날 때마다 손을 잡아주는 관심 한 바가지, 시간이 날 때마다 산책을 하는 관심 한 바가지면 충분하다.

일을 시작한 지 얼마 되지 않았을 때였다. 아이는 여섯 살이었다. 나는 시간조절도 쉽지 않았고 함께하는 시간을 내기도 쉽지 않았다. 맞벌이를 하는 모든 엄마들의 고민일 것이다. 나는 되도록 쉬는 날 만큼은 친구들과의 만남도 포기하고 아이와 함께 하려고 했다.

함께하는 시간이 줄어들자, 딸이 관심을 받고 싶었던 모양이다. 일요일마다 집안 대청소를 했는데 천식이 있는 아이 때문에 장롱 밑에 있는 먼지도 긴 막대에 물티슈를 묶어서 훑어냈었다. 장롱 밑에서 만원이 나왔다.

"우와 딸, 엄마 만원 생겼다. 오늘 점심은 딸 먹고 싶은 거 사줄게."

"와! 그럼 나 탕수육!"

그렇게 한참 탕수육을 먹으며 딸이 말했다.

"엄마 행복해? 기쁘지?"

"응. 우리 돈이지만 공돈 같고 기분 좋네."

"그럴 줄 알았어."

"뭘?"

"앗! 아니……. 실은, 내가 엄마 기쁘게 해주려고 전에 외할머니한테 받은 만원을 장롱 아래 넣어둔 거야."

엄마를 행복하게 해주고 싶어 한 행동이었다. 그러면서 관심과 칭찬을 받고 싶은 마음에 저도 모르게 말이 나온 모양이다. 아이는 어떤 방향으로든 엄마의 관심을 필요로 한다. 아이들이 필요로 하는 관심은 꾸준하게 주는 게 맞다.

관심은 아이의 생각을 자극시켜주기도 한다. 큰딸이 4살 때 제일 많이 하는 실수가 우유나 물을 엎지르는 거였다. 처음에 몇 번 화를 내니 아이가 내 눈치를 보는 게 보였다. '아차!' 싶었다. "오늘은 이미 엎질러진 우유가 되었다. 이걸 어떻게 하면 좋을까?"

"……치울게. 휴지로 먼저 닦고 걸레로 치울까?"

"그것도 좋은 방법이네. 일단 휴지 한 장을 써보자."

휴지로 닦아 내려는 아이를 막고 휴지 한 칸을 우유위에 올려놓게 했다.

"엄마 휴지가 우유를 먹었어."

"그러네. 우유 먹는 휴지네. 한 장 더 해볼까?"

이렇게 우유를 어느 정도 흡수하게 한 후 우유가 조금 남게 되

었을 때,

"우유를 먹은 휴지에서 어떤 그림이 보이나?"라고 혼잣말처럼 말했다. "우유 먹는 휴지는 〈구름〉 그림책처럼 구름이 되었어."라고 아이가 대답했다.

"그렇구나. 구름 같다. 우유가 방바닥에 있으니까 어때?"

"방바닥에서 우유 냄새가 나니까 고소해서 좋은데 휴지를 많이 써서 아까워. 먹을 우유가 없어져서 속상하기도 하고."

"그런 마음이 들었구나. 오늘은 구름이 된 우유를 만들었으니까 〈구름〉 책도 보고 다른 구름도 만들어 보자."

아이와 그림책을 보고, 탈지면을 얇게 찢어서 구름을 만들었다.

'한 번 엎질러진 물은 주워 담을 수 없다'는 속담도 있다. 이미 엎질러진 물로 혼을 내봐야 소용없다. 관심이 우선이다. 엎질러진 물은 또 다른 세상을 보고 만지게 할 수 있는 마중물로 바뀔 수 있다.

아이들과 신 나게 놀아주는 일 또한 매우 중요하다. 다만, 아이를 키우다 보면 항상 나갈 수 없기 때문에 아이와 실내에서 할 놀이를 고민하게 된다. 아이가 조금 자란 후에는 아이만의 공간이 필요하다고 생각했다. 그 공간을 어떻게 만들어줘야 할지 많이 고민했다.

시중에 대형 냉장고가 나오기 시작할 때였다. 나는 사람들이 버린 냉장고 상자를 가져왔다. 아이만의 집을 만들어줄 생각이었다.

"집을 어떻게 만들까? 창문이나 문을 뚫어야 하는데."

아이가 원하는 곳에 창문과 문을 뚫어주고 집에 있는 큰 손수건으로 커튼을 달아줬다. 작은 손전등에 고무줄을 매달아 천장에 달았다. 내부는 아이가 그림과 스티커로 꾸미게 했다. 아이는 잘라낸 상자 조각으로 '선이네 집'이란 문패를 만들어 달았다. 그날 저녁, 우리 식구들은 선이네 종이상자 안에서 차를 마셨다.

어릴 적 장롱 속에 숨었다가 잠이 들었던 기억이 종종 있다. 4~6세의 아이들은 자신만의 공간을 필요로 한다. 구석을 좋아하는 이유도 자신만의 상상을 펼칠 공간을 확보하는 것이다. 시중에 나온 인디언 텐트, 몽골식 이동 텐트를 사다가 아이의 공간으로 두기도 한다. 하지만 아이가 직접 만든 상자 집에 비할 수 없다.

생각해 보면 우리 집은 온통 쓰레기장이었다. 재활용으로 이것 저것 만들던 시절이었다. 휴지심부터 요구르트병, 병뚜껑, 계란곽, 컵라면 용기까지 가득 모아두었다. 집이 깨끗할 날이 없었다.

유치원을 가지 않고 집에서 자신만의 공간을 만들어가던 그때가 가장 중요한 시기였던 걸 지금 와 새삼 깨닫게 된다. 아이의 창의적인 아이디어가 가장 많이 나오던 때다. 말 그대로 일상 속 다양한 물품으로 정크 아트를 했다.

많은 엄마들은 자신의 아이에게서 가능성을 발견하고 싶어 한다. 기억해야 할 게 있다. 아이의 가능성을 끌어올릴 수 있는 사람은 바로 엄마 자신이라는 점이다. 엄마는 물을 끌어올리기 위한 한 바가지의 마중물이 되어야 한다. 아이의 숨겨진 생각, 재능을 끌어올리기 위하여 엄마가 아이의 마중물이 되어야 한다는 점을 잊지 말아야 한다.

자투리 시간도 놓치면 안된다

큰아이 일로 며칠 전 서울을 다녀왔다. 지하철 안 풍경은 몇 년 사이 다른 세상처럼 변해 있었다. 그래도 전에는 신문이나 책을 읽는 사람이 더 많았던 걸로 기억하는데, 이제는 한 칸에서 한두 명이 읽으면 많은 축이다.

나처럼 난독증, 모서리 공포증에 멀미까지 심한 사람은 움직이는 차 안에서 책을 본다는 건 꿈도 꿀 수 없는 일이다. 이동시간에 책을 읽는 사람들이 부럽기 그지없다. 나는 대개 잠을 자거나 음악을 듣는 편이다. 이런 조각 시간을 활용하는 것도 지혜다.

아이를 키우면서 엄마들의 고민거리 중 하나는 아이들의 시간

관리다. 방학마다 만들어 두는 시간 계획표처럼 하루를 정확하게 나누고 활용하는 방법도 있겠지만, 내가 원하는 아이들의 시간 관리는 자투리 시간을 이용하는 거다.

엄마들이 요즘 하는 걱정 대부분은 이렇다.

"아이들이 만날 스마트폰만 들여다봐요."

"노는 시간이 너무 많아요."

아이가 무언가를 더 하기 바라는 마음이 들어있다. 학원이라도 하나 더 보낼 기세다.

그럼 아이들의 이야기는 어떤가?

"저는 너무 바빠요."

"시간이 하나도 없어요. 제가 집에 몇 시에 들어가는 줄 아세요?"

"학원 몇 개 다니게요?"

"집에 가면 아예 스마트폰이나 게임을 못하니까 지금 해야 돼요."

이런 이야기가 주를 이룬다. 아이들 이야기 요점은 잠시 짬이 날 때라도 스마트폰으로 검색도 하고, 음악도 듣고, 웹툰도 보고, 게임도 해야 한다는 말이다. 엄마가 말하는 시간과 아이가 말하는 시간에 간극이 존재한다.

이런 경우 아이에게 하루 일정을 전부 적어보라고 하면 반응은 한결같다.

"어? 생각보다 노는 시간이 많네."

문제는, 시간이 남아도 무엇을 할지 모른다. 잠시 남는 여유 시간에 아이들이 하고 싶은 건 게임뿐이다.

다행인건 학원 하나 더 보낼 만큼의 시간은 나오지 않는다. 더러 그 막간을 비집고 무언가를 시키기는 엄마가 있기는 하다. 10~15분 정도면 풀 수 있는 학습지로 시간을 채워주려 한다. 아이들에게 생각의 여유를 주지 않는다.

이 자투리 시간이 늘 아쉽다. 피곤하면 잠시 낮잠을 자도 되고, 시 한 편이나 시경의 한 구절을 읽어도 좋고, 미리 적어둔 좋은 글귀를 읽어도 되는 시간이다. 이 활동은 부모와 아이가 함께 하길 권한다. 혼자 핸드폰만 들여다보는 게 아닌 부모가 함께 활동을 해야 효과가 좋다.

그 외에 자투리 시간에 할 만한 건 신문 읽고 쓰기이다. 신문을 훑어보았다가 자신이 관심 있는 부분을 스크랩하면서 필사를 한다.

아이가 어릴 때는 어린이 신문과 잡지를 활용했다. 신문을 대충이라도 미리 보게 한 후에 가장 관심 있거나 궁금해 하는 부분을 오려놓게 한다. 그다음에 노트에 스크랩한 후 필사하는 방법이다.

필사는 내 공부법 중 하나다. 내가 선호하는 학습법이다. 쓰기 습관이 약한 아이들에게는 필사는커녕 독후감 한 장 쓰게 하기도 어렵다는 게 현실이긴 하다.

　혼자 영어 공부할 때 책을 필사했다. 쓰면서 모든 내용을 독해할 수 있는 건 아니었다. 다만 쓰다보면 집중하게 된다. 내용의 흐름뿐만 아니라 글쓴이를 생각하는 힘이 생긴다. 나처럼 느린 사람에게는 좋은 학습법이다.

　신문 필사를 권하면 대다수의 부모들은 사설 영역에 집중하기를 바란다. 물론 사설을 필사하고 이해한다면 좋다. 논리력과 사고력 그리고 사회적 이슈를 한 번에 낚기에는 더없이 좋다. 하지만 나는 아이에게 원하는 기사를 선택하게 했다.

　사설이 누군가의 생각임을 감안할 때 초등학교 저학년이 글쓴이의 의도를 파악하고 비판의식을 갖기전에 어려워하고 싫어할수 있다. 사설은 습관이 된 이후에 권한다. 필사를 힘든 숙제로 여기지 않게 재미난 기사거리를 스스로 고르게 했다.

　아이는 필사해야 한다는 부담감 때문인지 짧은 기사만 골랐다. 그래도 상관없다. 신문을 읽고 쓴다는 데 의미가 있다. 필사 후 모르는 단어는 따로 체크하여 글의 흐름으로 어떤 의미를 가질지 생각해보게 했다. 그리고 단어를 백과사전이나 국어사전으로 찾아 확인 하도록 유도했다. 마지막으로 글을 읽고 쓰면서 들었던 생각을 한 줄씩 쓰게 했다. 신문을 필사하다 보면 신문의 기본 구성요

소를 이해하게 된다.

필사를 힘들어하거나 하기 싫어하는 경우, 스크랩만으로도 가치가 있다. 꾸준한 스크랩은 자신이 관심 있어 하는 게 무엇인지를 알게 만든다. 무엇보다 시간의 흐름으로 시대의 변화를 자연스럽게 받아들인다.

사설이 아닌 저학년에 맞는 신문을 보는 것만으로도 세상을 보는 시각과 사고를 높여준다. 인터넷 신문을 자투리 시간에 보는 경우도 나쁘지는 않다. 그러나 굳이 이용해야 한다면, 급하게 내용을 찾을 때나 다양한 기사를 봐야할 때 활용하는 게 좋다. 손을 이용한 학습이 중요하다. 종이 신문이나 프린트된 인터넷 신문기사를 활용하기를 바란다.

아이가 만들었던 필사노트 여러 권은 여러 사람 손에 넘어갔다. 완성 본으로 남아있는 건 한 권뿐이다. 그만큼 많은 사람들이 욕심을 내던 노트 중 하나다. 아이의 흔적이라 지금이라도 돌려받고 싶은데 쉽지 않다. 아쉬울 뿐이다.

자투리 시간을 효율적으로 사용하는 엄마의 모습은 아이들에게도 그 시간을 가치 있게 생각하도록 해준다. 빡빡한 일정으로 지친 아이들이 자투리 시간에는 아무 것도 하지 않고 그저 멍하니 있거나 게임을 하며 스트레스를 풀고 싶어 할 수도 있다. 그건 그만큼 그 아이에게 여유가 없다는 뜻이다. 부모에게 주는 경고다.

자투리 시간을 제대로 활용할 줄 아는 아이는 시간을 관리할 줄 알게 된다. 효율적인 하루를 보낼 수 있다.

앞서 말했던 여러 자투리 활용 학습법 중 어떤 방법이 내 아이에게 맞을지 고민하고 실행하기를 바란다. 몇 번이고 강조하지만 내 아이는 내가 먼저 파악해야 한다. 그래야 진정한 엄마표 자투리 학습이 완성될 수 있다.

'돈으로 산' 책이 아닌 '함께 만드는' 책

    연애하는 사람들은 자신이 좋아하는 사람과 조금이라도 더 함께 있고 싶어 하고, 손도 잡고 싶어 한다. 종종 의견이 맞지 않아 싸우기도 하지만 서로 양보하고 사과하면서 사이는 금세 회복된다.

    아이를 키우다보면 꼭 연애하는 심정이 된다. 어디서 온 천사일까? 싶은 아이가 눈앞에 있다. 엉덩이를 두드리고, 볼을 만지고, 심지어 손가락, 발가락까지 깨물어대게 된다. 그러다가 아이가 이해할 수 없는 울음을 터트리거나 짜증을 내고 끊임없이 요구하면 화가 치밀어 오른다. 가끔 두드리던 엉덩이는 볼기짝 맞는 신세가 되는 지경에 이른다.

아이를 이해하려 할수록 화는 진정되지 않는다. 아이에게 공격적으로 소리를 지르기도 하고, 품에 안고 있던 아이를 밀쳐내기도 한다. 그러다가 아이가 울음을 그치고 엄마라고 부르면 금세 웃음이 번진다. 아이가 잠들면 화냈던 행동에 죄의식마저 든다.

아이는 미숙한 존재다. 끊임없이 무언가를 알려주고 위험으로부터 지켜줘야 한다. 부모는 아이가 얼마나 대단한 존재인지부터 나아가 학교와 사회에서 어떻게 행동해야 하는지 알려줘야 하는 의무를 가진다.

이 천사를 만난 대가다. 천사와 함께 살 기회를 얻은 대가는 혹독하다. 현대 사회에서 돈이라는 무기 때문에 더더욱 그렇다. 오죽하면 그 무거운 의무감으로 천사와의 생활을 포기하는 사람들이 늘어났을까 싶다.

물론 각자의 사정은 있다. 아이를 포기해야 하는 명백한 이유가 있을 거다. 하지만 돈 때문이라고 하는 사람에게는 좀 더 생각하라고 하고 싶다.

돈 때문에 라고 말하는 건 바로 엄마들이 갖는 경쟁 심리 탓이다. 문턱증후군이 팽배해진 대한민국 사회에서 아이들에겐 부모의 학벌이, 부모가 사는 집의 크기가, 부모의 직장이 1단계 문턱이 된다.

아이가 다니는 학원과 과외선생님이 2단계 문턱이 된다. 하지만 돈이 부족할 때 해줄 거리를 찾는 똘똘이 부모들은 얼마든지 많다.

이 부모들은 아이를 경쟁 사회로 밀어 넣지 않고 아이가 원하는 걸 시키거나 혹은 부모가 뚝심 있게 미는 교육관이 있다. 돈으로 문턱을 따지지 않는다.

나도 여러 가지를 시도한 부모 중 하나다.

아이가 6살 이었을 때, 영어책을 한 권 사줄까 했다. 서점에서 파는 낱권도 당시 금액으로 만 원을 넘겼다. 테이프를 끼워 팔도록 만들었기 때문에 영어동화를 계속 사주는 게 쉽지 않았다.

더 읽히고 싶지만 형편은 나아질 기미가 보이지 않았다. 고민 끝에 책을 만들기로 결심했다. 아이의 이야기가 담긴 〈아이의 하루〉란 제목의 책을 만들었다. 색도화지를 사고 아이와 이런저런 대화를 나눴다. 오로지 둘이 기획하여 만든 책이었다.

당시 북아트라든지 책 만들기 프로그램이 있다는 걸 전혀 몰랐기 때문에 내 손으로 만든 책은 지금 보면 얼토당토않다. 당시에는 얼마나 뿌듯하던지 아이는 그 책을 1년 동안 가지고 다녔다. 이렇게 아이와 책을 한 번 만들고 나니, 아이는 돈으로 사주는 책보다 직접 만든 책을 훨씬 좋아한다는 걸 알게 되었다.

주제를 정해서 A4용지에 쓴 내용을 스테이플러로 묶은 후 색테이프로 꾸민 뒤 책을 만들기도 했다. 무늬가 있는 디자인종이를 사서 여행기나 보고서를 만들었다. 아이를 위한, 아이만을 위한, 아이가 만든 세상에 하나뿐인 책이었다.

아이는 직접 기획하고 만든 활동이라 더 애착을 갖는다. 꾸미고 글과 그림을 배열 하면서 디자인 능력이나 기획능력도 배우고 생각을 정리하는 힘도 커지게 되었다. 이렇게 만들어진 책들 중 나라를 소개하는 책 시리즈나 창작 시리즈는 시간이 지난 지금 읽어도 재미있다. 책을 만들 때 어렵게 시도할 필요는 없다. 아이에게 몇 페이지 분량의 책을 쓰고 싶은지 묻는다. 그림을 넣고 싶은지, 스티커를 활용해서 꾸미기를 하고 싶은지를 선택하게 한다. 책 내용은 아이 마음대로다.

책 내용이 완성 되고 나서 신경 쓰는 부분이 있다. 바로 제목, 출판사 이름, 가격이다. 큰 아이는 '써니 출판', 둘째는 '지니 출판'이란 이름으로 자신의 책을 만들고 있다. 모두의 마음에 드는 멋진 제복을 짓지 못하지만 스스로 중요하게 생각하고 결정한다. 가격을 정할 때도 나름 신중하다. 세상에 하나뿐인 책이니만큼 쉽지 않다. 시리즈물을 만들 때는 사은품을 만들기도 하고 가격 할인 이벤트도 기획한다.

책 뒷면에 바코드를 그리거나 스티커를 붙인다. 바코드도 아이들 수준에 맞는 의미를 부여한다. 먼저 대한민국 출판사답게 89로 시작한다. 연도나 학년을 나타내는 학번으로 표기하고, 그 해 몇 번째 책인지를 숫자로 표기하는 방식으로 만든다.

완성직전까지 고민하는 건 뒤표지다. 추천사를 쓸시 책을 소개할지를 선택하고, 추천사를 쓰고 싶을 땐 누구에게 부탁할지도 고민한다.

아이의 '나만의 책 만들기'는 남들 눈에는 작은 독후활동처럼 보일 수 있다. 하지만 엄마와 아이가 함께 만들어놓은 책의 소중함이 다르다. 자신의 글과 그림이 그려진 책이다. 아이가 작가로 탄생된 순간이기 때문이다. 아이가 일기를 쓰거나 다이어리를 정리하듯 자신을 메모하고 기억하는 순간이 된다.

책 만들기라는 거창한 활동이 아니어도 된다. 일기라는 글쓰기 방식도 나만의 책 만들기와 다르지 않다. 일기 또한 나만의 스토리이기 때문이다.

일기의 중요성을 강조하는 선생님을 알고 있다. 일기로 된 도서를 거의 다 완파하실 정도로 일기에 대한 애착이 크다. 선생님의 장점은 기록이다. 일상의 소소한 이야기를 쓰는 노트. 하루 전체 느낌을 쓰는 일기, 독후감 일기와 그 외 다양한 기록을 여러 형식으로 남겼다.

선생님은 따로 책을 만들지 않았다. 하지만 지금까지 쓴 내용을 묶으면 책이 된다. 선생님만의 멋진 책이 되고도 남는 활동인 셈이다.

아이에게 자신의 책을 만들어 주는 건 단순한 활동을 넘어선다. 아이가 작가를 경험하게 하는 길이다. 비싼 책을 보여주는 것만이 교육이 되지 않는다. 늘 새로운 책을 사주지 못한다 해도 괜찮다. 아이와 함께 책을 만들어 볼 시간과 정성에 신경 쓴다면 말이다.

아이와 함께 만든 책은 세상에서 가장 값진 책이 된다. 무엇보다 아이에게 귀한 경험을 남겨줄 수 있다.

가족과 함께하는 독서

나는 '근무력증'이라는 병이 있다. 조금만 움직여도 피로를 금세 느끼고, 종종 온 몸에 마비가 온다. 그럴 때면 끝없이 잠에 빠져든다. 내가 아파하는 모습을 보면 큰딸은 나를 대신해 동생을 돌봤다.

"엄마, 내가 진이랑 놀고 있을게. 엄마는 좀 자고 있어."

"진이 곧 분유 먹여야 하는데."

"걱정 마. 내가 분유도 먹이고 기저귀도 갈아줄게."

첫째는 둘째에게 작은 엄마나 다름없었다.

최악의 몸 상태일 때 둘째가 태어났다. 그래도 다행인 건 첫째 때보다는 책을 마음껏 읽힐 수 있는 상황이었다. 마음만큼은 한결

편했다. 진이에게는 아빠와 언니까지 나서서 책을 읽어주고 이야기를 만들어 주었다.

아이 아빠는 진이가 글자를 따라 빠르게 눈동자 굴리는 반응을 신기해했다. 아이 옆으로 책이 쌓일 때까지 읽어주고는 했다. 일을 쉬고 있던 때라 가능했다. 아빠는 일을 다시 시작할 때까지 둘째 책 읽어주기 담당을 했다.

태교와 영아 교육에서 아빠의 참여는 중요하다. 누구나 태교와 영아 때 교육이 중요하다고 알고 있다. 대체로 태교와 영아 때의 교육 담당은 엄마의 몫이라고 생각한다. 하지만 요즘 엄마들의 생각은 다르다. 둘이 해야 더 시너지 효과가 있다고 믿는다. 실제로 요즘 아빠들은 아이를 위해 상당히 많은 시간을 투자하고 있다.

아빠들의 목소리는 중저음이다. 심장박동과 비슷한 음파를 지녔다. 엄마들의 높은 '솔' 톤 소리보다 안정감을 준다고 한다.

영아 때 아빠의 목소리로 들려주는 이야기는 아이 뇌파에 평온함을 전달한다. 나는 아빠들이 아이들에게 책을 읽어줘야 한다고 강조한다.

둘째를 위한 책꽂이를 따로 만들었다. 책은 형제들이 같이 읽는 공유물이다. 하지만 3살에서 5살 사이에 자신의 물건에 대한 애착이 강해지기 때문에 아이만의 영역을 만들어주는 게 필요했다.

둘째만의 책꽂이를 만든 후 "이건 네 거야."라고 아이의 영역을 강조했다. 아이는 "이건 내 거지?"라면서 몇 번씩 되물었다. '내 물건'이라는 애착이 생기자 더 자주 책을 들여다봤다.

집에는 첫째가 읽었던 많은 책들이 있었다. 하지만 둘의 나이 차가 7살이다 보니 바꿔야 할 책이 많았다. 특히 계속해서 새로운 지식이 생겨나는 과학 분야 책은 내용이나 그림이 사실과 달랐다.

특별한 날이 되면 아이를 위한 새로운 책을 선물했다. 한 달 지출을 정할 때 아이 책값을 늘 넣었다.

영유아 시기에는 여유 돈이 있을 때마다, 특별한 날마다 아이에게 책을 사주는 게 가장 현명하다. 만약 여의치 않다면 할부를 이용해서라도 일단 사라고 말하고 싶다.

영유아는 빨리 지나가는 성장시기다. 한 번 지나간 시간은 절대로 다시 돌아오지 않는다. 귀한 시간에 '돈이 없어서'라며 책 사는 일을 미룬다면 결국 아이의 기초를 제대로 쌓아주지 않는 꼴이 된다. 지금 돈이 없어서 돈 모아서 일 년 후에 책을 사주는 걸 생각하기 보다는 지금 미리 책을 사 주고 일 년 간 돈을 갚는 방법을 생각하면 좋겠다.

책을 읽는 아이들을 보면 뿌듯했다. 나는 지금까지 아이들을 위해 산 책이 만 권을 넘는다.

우리 집에 공부하러 오는 아이들은 나에게 책만 팔아도 부자가 되겠다고 말한다. 책이 많은데 왜 계속 책을 사느냐고 물어본다. 나는 아이들에게 내 꿈을 말해준다.

"선생님한테 꿈이 있어. 선생님은 나중에 '독서힐링캠프장'을 만들고 싶어. 그곳에서 1박 2일 캠프를 진행하면서 놀이도 하고 토론도 할 거야. 물론 책을 통해서지. 자유롭게 책으로 놀고 읽을 수 있게 하는 공간을 만드는 거야. '책 읽어주는 할머니'로 늙는 게 선생님 소망이야."

둘째가 3살이 되었을 때, 남편은 이제 책은 그만 사도 될 거 같다고 말한 적도 있다. 남편에게 미안한 마음에 알았다고 대답했다. 하지만 책을 사는 건 내가 유일하게 할 수 있는 '작은 사치'다.

네일아트, 소품 수집, 고급 디저트 먹기 등 작은 것에 만족하는 '작은 사치'가 있다. 나의 '작은 사치'는 바로 책을 사는 일이었다. 아이들에게 고액 과외나 비싼 명문학원을 보낼 마음도 없었지만, 보내고 싶어도 보낼 수 없는 가정형편이었다. 이 감정을 환기시켜줄 지적인 사치는 바로 책이었다.

책 한 권으로 온 가족이 함께 시간을 보낼 수 있었다. 책이 책장에 쌓이는 걸 보면서 마치 명품 구두나 가방이 쌓이는 것과 같은 뿌듯함을 느낄 수 있었다. 나의 바람은 지금도 여전하다. 죽는 날까지 다달이 몇 권의 책을 꾸준히 사서 아이들과 읽는 일이다.

워킹맘들의 가장 큰 고민은 아이들과 많은 시간을 함께 해주지 못한다는 점이다. 아이는 계속해서 자라는데 이 소중한 시간을 함께 해 주지 못한다는 죄책감으로 다른 보상을 해주려고 한다. 그 중 가장 흔한 보상이 바로 '용돈'이다. 아이에게 용돈으로 하고 싶을 일을 하라고 한다.

하지만 아이의 양육에 있어 중요한 건 '질'이지 '양'이 아니다. 돈으로 엄마의 자리를 메우려고 하지 말고, 집안에 엄마와 함께 할 수 있는 공간을 만들어줘야 한다. 그리고 짧은 시간이라도 그 공간에서 아이와 시간을 보내야 한다. 엄마가 일하느라 집 안에 없어도 아이가 계속해서 엄마의 흔적을 느낄 수 있는 공간이 필요하다.

그 공간이 책이있는 공간이라면 더없이 좋다. 아이와 시간을 보낼 때, 그 공간에서 함께 책을 읽고 이야기를 나누어라. 아이가 집에 혼자 있을 때, 엄마와 함께 책을 읽던 공간에 스스로 들어가 책을 읽도록 해 주는 게 더 좋다.

물론 무엇보다 중요한 게 있다. 아이에게 늘 '너를 사랑하고 있어. 너를 지켜보고 있어.'라는 안도감을 심어주는 일이다. 아무리 하루 종일 아이와 함께 있다고 해도 짜증이 난 엄마의 얼굴만 보여준다면 무슨 소용이 있겠는가. 짧은 시간이라도 얼굴을 마주한 채로 아이에게 이야기를 건네고, 웃어주고, 아이의 이야기를 들어주는 일이 짜증난 얼굴로 하루 종일 아이와 있는 것보다 훨씬 낫다.

일하는 엄마들이 항상 나에게 물어본다.

"그렇게 바쁜데 아이는 언제 키우고 집안일은 언제 하세요?"

나는 그때마다 생각한다. '왜 아이를 키우느라 바쁘지?' 아이와 함께 할 일이 있다면 집안일을 미루면 된다. 급한 집안일이 있다면 아이 혼자 할 수 있는 일을 찾아주면 된다. 물론 아이 혼자서 할 수 있는 일 중에서 가장 좋은 건 독서다.

대부분의 엄마들은 집안일을 완벽히 하려고 하거나 아이들에게 무언가를 시켜야 한다는 압박감을 갖고 있다. 막상 짬이 나는 저녁에는 중요하지 않은 일에 시간을 써 버리는 경우가 많다.

아이에게만 시간 효율을 따지지 말고, 엄마 자신의 타임리스트를 작성해야 한다. 쓸데없이 낭비되는 시간을 모아 아이를 위해 쓴다면 '아이 키우랴, 일을 하랴 바쁘다.'는 말은 나오지 않는다.

집안이 깨끗하지 않아도 된다. 물론 정리정돈이 잘 되어 있는 모습은 아이에게 꼭 보여줘야 한다. 하지만 청소에 너무 많은 시간을 보낸다거나 옆집아이와 비교하는 데에 시간을 보내지 않기를 바란다. 그리고 무엇보다 아이를 많은 학원에 보내면서 아이 때문에 바쁘다고 말하지 않기를 바란다.

어떤 워킹맘들은 자기만족과 행복을 위해 아이를 방치하는 것 같다고 걱정하기도 한다. 하지만 엄마가 행복해야 아이가 행복한 법이다. 엄마의 행복 에너지로 아이를 행복하게 키울 수 있다.

아이를 키우면서 엄마 스스로 자기계발을 멈추지 않아야 한다. 하지만 엄마들은 이 부분을 가장 어려워한다. "일과 살림, 아이

돌보기에도 바쁜 시간에 자기계발이라니!" 하면서 뒷걸음을 친다.

모든 염려를 이해한다. 나 또한 일과 살림, 아이를 돌본 엄마다. 책을 강조하는 이유는 여기에 있다. 아이와 함께 책을 읽는 건 곧 아이에게 바람직한 엄마의 모습을 보여주는 일이다. 아이와 함께 시간을 보내고, 아이와 같은 시간을 공유하는 것이다. 그리고 아이와 엄마의 지식이 함께 자라나는 가장 쉬운 일이다.

아이를 위해 학원이나 좋은 과외 선생님을 구하는 데 시간을 보내기보다 아이와 책을 읽어라. 엄마 스스로가 선생님이 되어야 한다. 엄마표 학습법의 처음도 '독서'요, 끝도 '독서'라는 걸 마지막으로 한 번 더 강조하고 싶다.

퀀텀리프(Quantum Leap)

함께하는 일은 즐겁다. 그 상대가 나의 아이라면 더 즐거운 일이다. 아이 덕분에 선생님, 강사님 소리를 듣게 됐다. 아이와 더불어 공부하고 생각하며 나도 함께 자라났다.

엄마들과 상담을 할 때, 부모교육이나 독서교육 강의하러 다닐 때 내가 가장 강조하는 건 하나다. 바로 "2% 부족하게 키워라."이다. 2% 부족은 아이가 스스로 찾는 힘을 갖게 한다. 부족함을 채우려하는 건 아이가 꿈을 꾸는 여유를 만들어 준다. 부족함은 절실함이다.

아이들이 하는 사교육이 불필요하고 나쁘다고 생각하지 않는다. 아이에게 전문적인 교육이 필요하다면 사교육은 분명 필요하다. 특히 아이가 예체능, 특정 진로 공부가 필요할 때는 사교육이 필요하다.

내가 사교육이 필요 없다고 말하는 건 학교 점수 때문에 사교육을 받으려고 할 때다. 경쟁심으로 사교육을 시키려고 할 때, 안 시키면 불안해서라며 시킬 때이다. 아이들은 과도한 사교육으로 생각할 여유도 갖지 못하고 다람쥐 쳇바퀴처럼 하루하루를 보내고 있다.

출퇴근시간의 서울 지하철 1호선에 서 있으면 내 의지와 다르게 떠밀려 간다. 지금 대한민국 아이들이 그렇게 떠밀려가고 있다. 어디로 향하는지 모른다. 당연히 무기력해지고, 피곤할 수밖에 없다. 꿈이 무엇인지 원하는 게 무엇인지도 인지하지 못한다.

아이를 성공적으로 키운 주변의 부모들(물론 아이를 키우면서 '성공적'이라는 정답은 없다. 부모와 아이가 함께하는 만족감이 '성공'이다)이 공통적으로 하는 말이 있다. "전 과목 학원을 왜 보내는지 모르겠다."이다. 최근 가장 부각되고 있는 학습법은 '다중지능적

학습법'이다. 그 근간에는 독서가 있다. 학원보다는 독서가 더 좋은 학습법이 된다는 말이다. 이 좋은 학습법을 망치는 엄마들이 있다.

"책을 안 읽어요."

"책을 많이 읽는데 표현력이 약해요."

"책을 많이 읽었는데 국어점수가 나빠요."

"책만 읽어서 사회성이 부족해요."

책을 학습처럼 읽히려고 하니 당연히 표현력이 커질 리 없다. 책을 성적과 연관시켜 국어점수를 따지면 아이의 선호도와 흥미에 관계없이 학업과 관련된 필독서만 읽히니, 책이 온전히 아이의 것이 되지 못한다. 그리고 책을 읽고 난 후에는 반드시 독후활동이 이뤄져야 하고 사고를 확장시켜줘야 하는데, 그러지 않으니 사회성이 떨어진다.

책은 책이다. 책이 좋은 대학을 가기 위한 점수 따기 수단이 되지 않기를 바란다.

아이들을 만나는 일을 해온 지 15년째다. 아이들을 처음 가르쳤을 때는 웃는 아이들이 많았다. 책을 읽고 이야기를 하고 다양한 독후활동을 했다. 아이들은 자신의 생각을 충분히 표현했다. 시간이 지날수록 웃지 않는 아이들이 늘어났다.

　"선생님, 피곤해요. 좀 쉬었다하면 안돼요?"

　졸린 눈으로 수업을 듣던 아이는 결국 우리 집 큰 방에서 이불까지 덮고 잠깐씩 잠을 청했다. 토요일까지 학원에 간다고 했다. 피곤함이 쌓이는 건 당연한 일이다.

　웃는 아이를 찾아보기가 힘들어졌다. 피곤이 아닌 짜증이 묻어난 아이들이 되었다. 자신이 왜 여기에 있는지 모르고, 지금 자신이 하고 싶은 일들이 아니다.

　5년이 더 지난 후, 아이들은 무기력해 졌다. 감정조절을 못하고 씩씩대며 들어오는 아이도 있었다.

　"지는 맨날 지 마음대로 하면서 나한테만 난리야."

화가 머리끝까지 나서 온 아이가 말한 '지'는 바로 자신의 엄마였다. 엄마들은 놀고, 텔레비전 보고, 게임도 하면서 아이에겐 아무것도 하지 말라고 한다. 아니 공부만 하라고 말한다.

　해가 바뀌는 게 무섭게 무감각하고 불행한 아이들이 늘어난다. 그 원인이 학원에 가기 때문만은 아니다. 아이들을 이해하는 따스함 대신 아이들을 총알받이처럼 내모는 날카로운 이기심 때문이다.

　'아이들이 행복하면 좋겠어요. 아이들이 웃으면 좋겠어요. 어른들의 좁혀진 사고로는 도저히 따라갈 수 없는 확장된 사고를 가진 아이들을 도대체 왜 작은 틀에 집어넣고 그 틀대로 만들려고 하는지 모르겠어요.'

　부모에게 던지는 나의 메시지다. 아이들은 아이들답게 자라나야 한다. 아이들은 행복할 권리가 있다. 아이들을 교육하는 입장에서의 소명감이다.

　지금 바로 대화를 시작하세요. 아이가 꿈을 찾을 수 있어요.

지금 바로 책을 읽으세요. 아이의 꿈을 '함께' 펼치세요.

지금 바로 산책을 나가보세요. 아이의 꿈이 도약 할 수 있도록……

부족하면 채우면 되고, 없다면 새로운 생각을 만들면 된다는 생각으로 아이를 키웠다. 하나에서 아홉까지 채워져 있는 건 하나도 없었다. 하지만 나에게는 열 번째에서 넘치는 게 있었다. 바로 아이를 향한 마음이다.

엄마가 큰애에게 준 사랑을 큰애가 둘째에게 준다. 그 사랑들이 넘쳐서 아이들의 사랑은 이제 세상을 향해 넘친다.

어느 엄마든 아이를 사랑한다고 말한다. 그런데 궁금하다. 아이의 사랑이 어디를 향하고 있는지 말이다. 사랑하는 사이는 다른 방향을 바라보는 게 아니고 한 방향을 바라보는 일이다. 연인들은 나란히 앉아 '먼 곳을 함께' 본다. 그런데 아이를 사랑하는 방향은 '먼 곳 보기'가 아니다. '마주 보기'를 해야 한다.

대한민국에서 아이를 키우는 건 너무 힘들다는 말에 나 또한 공감한다. 사교육이 없으면 도태되는 교육 현실과 선행학습을 시키지 않으면 불안한 학부모들이 많다. 하지만 '남들이 하기 때문에 나도 한다.'는 현실에서 벗어나야 한다.

내 아이의 '퀀텀리프'를 믿어라!

땅 속에 뿌리를 둔 대나무는 3년째 작은 죽순만 내밀고 있다. 1년이 지난뒤에도 땅 위에 겨우 30센티미터만 드러내고 있다. 하지만 이 시간이 지나면 대나무는 무섭게 자란다. 거센 비바람을 이겨내고 하늘 높은 줄 모르고 위로, 위로 뻗는다. 우리 모두의 아이들은 이 대나무와 다를 바 없다.

첫 아이를 키울 때 포대기에 들쳐 업고 걷고 또 걸었다. 포대기 속 아이와 날마다 이야기를 나누었다. 아이는 듣기만 했다. 혼자 질문하고 아이의 대답을 내 입으로 대신했다. 못 알아듣는 줄 알면서 책을 읽어주었다.

아이를 조금씩 혼자 있게 했다. 동네에서 주은 종이박스로 단칸방 속에 또 하나의 단칸방을 만들어 주었다. 아이는 종이박스 안에서 우주를 그렸다. 아이는 유치원에 다니지 않는 분명한 이유를 스스로 말할 줄 알았다. 나는 수긍했다. 혼자서 읽어주고, 질문하고, 답했던 모든 걸 알아들은 것처럼 아이는 성숙한 인격체가 되어 갔다.

　내 아이에 대한 불안은 아이가 만들지 않는다. 끊임없이 다른 아이와 비교하고, 경쟁 사회에 뒤쳐질까 염려하는 엄마가 만들어내는 것이다. 뒤처지는 내 아이를 상상하고, 불안한 마음에 이것저것 닥치는 대로 사교육을 다 시켜보는 게 엄마들이 범하는 가장 큰 실수이다.

　가장 좋은 교육은 엄마와 아이가 함께 배우고 함께 성장해가는 일이다. 그러기 위해서는 때부터 엄마의 기다림과 배우려는 노력이 필요하다.

　지금까지 내가 한 이야기는 비단 내 아이에만 국한된 것이 아니다. 물론 아이들마다 각자의 개성이 있다. 고정된 틀로 제한된 교육을 해서는 안 된다. 하지만 분명히 말할 수 있는 건 있다. 더 이상 바쁘다는 핑계로, 불안하다는 핑계로 아이들을 사교육으로 내몰지 말라는 거다.

가장 좋은 교육은 행복한 엄마에게서 나온다. 부족하면 부족한 대로 아이와 함께 공부하고, 경험하면 충분하다.

'퀀텀리프'의 기적을 믿고!

엄마에게

* 첫째 호영이

엄마가 내게 쓴 편지는 서랍에 가득하다. 내가 고등학교를 졸업할 즈음 엄마는 노트를 건넸다. 그 일기 속에는 고등학생인 나와 나누었던 대화, 작은 행동까지 가득했다. 엄마의 기록 속 나를 되돌아보게 됐다.

엄마는 글을 자주 썼다. 내가 보려하면 손과 몸으로 노트를 가리던 엄마만의 일기를 슬쩍슬쩍 곁눈질로 훔쳐봤다. 모든 글에 엄마의 마음과 엄마의 삶이 고스란히 담겨있음을 물론 안다.

남에게 보여주지도 않을 거 왜 그렇게 기록해놓는 걸 좋아하실까 생각해본 적이 있다. 살면서, 일을 하는 동안, 우릴 키우는 동안 힘들고 눈물 나는 일들이 많았을 거다. 아마 자기만의 기록을 남기는 일은 나쁜 기억을 줄이는 일이었을지도 모른다.

맏이의 책임감으로 엄마의 짐을 덜어드리고 싶었다. 엄마와 대화도 많이 나누고 엄마와 친구처럼 지내왔다. 나에게조차 말하기 힘든 짐들이 얼마나 많았을까? 그 무게를 온전히 나누지 못한 게 늘 마음 쓰였다.

엄마는 원고 작업 중에 생각만큼 글이 잘 써지지 않는다고 했다. 피곤한 눈으로 밤을 새며 글을 쓰는 엄마를 보면서 괜스레 마음 한 구석이 아팠다. 나는 글에 엄마의 이야기가 많이 담겨 있었으면 한다. 엄마의 이야기들을 담으며 힘들었던 기억을 모두 덜어냈으면 좋겠다고 소망한다.

나는 엄마를 존경한다.

힘들었을 엄마의 어제와 묵묵히 견뎌낸 어두운 시간과 우리를 위해 일하시던 그 모습까지. 모두 존경한다. 무엇보다 항상 나를 믿어주고 지지하는 마음을 존경하고 사랑한다.

엄마는 오랫동안 노트북 앞에 앉아 글을 썼다. 근처에 조금이라도 가까이 가면 재빠르게 노트북을 가렸다. 그렇게 숨기면서 쓴 원고였다. 초고를 완성한 뒤 한 번 읽어보겠냐고 했다. 나는 완성된 내용으로 출판될 때까지 쳐다보지 않겠다고 말했지만, 엄마의 이야기가 궁금했다.

내가 다 알지 못했던 엄마의 마음이 담긴 이 책이 매우 기대된다. 마지막 원고를 넘기는 날, 늦은 시각까지 노트북 화면 빛을 받으며 손을 움직이는 엄마의 모습은 엄청 멋있었다.

2015.02.07. 엄마의 첫 책을 기다리며 설레는 마음으로.

엄마의 큰딸 장호영

* 둘째 장진이

　엄마가 처음 책을 쓰신다고 하셨을 때는 생소하게 느껴졌고, '뭐 그 정도야!'라며 가벼운 생각을 가지고 있었다. 하지만 긴 시간 글 쓰는 모습을 보고 대단하시다는 걸 다시 한 번 깨달았다. 책 완성 기념으로 뽀뽀 100번 해드리고 싶다.

　이 책은 나와 우리 언니를 키우면서 경험한 방법을 바탕으로 썼다고 한다. 다른 어머니들에게 즐거운 자녀교육 길을 알려주고 도움의 손길을 주는 책이다.

　내가 이 책을 추천하는 건 우리 엄마가 쓰신 책이라서가 아니다. 엄마가 내 인생의 선생님인 만큼 다른 사람에게도 도움이 될 거라 확신한다.

엄마의 둘째딸 장진이